沈没船博士、海の底で歴史の謎を追う

山舩晃太郎

新潮社

はじめに

　大小さまざまな島が点在するアドリア海。その美しい景色を楽しむ人達が想像もしない海中で、私はあるものを必死に探していた。時は２０１４年の夏。探し始めて、すでに3年目になっていた。

　私がいるのは水深27ｍ。透き通るように透明な海も、ここまで潜ればさすがに日の光もあまり届かず、薄暗い。水温も15～17度。さながら冬の日暮れ時にいるような錯覚に陥る。静けさに支配された海の中で、私を含む発掘チームメンバー数人が、海底に目を凝らし、砂に埋もれた船の全容を把握しようとしていた。

　その日、水中で作業を始めて20分ほど経った頃、一緒に発掘をしていた親友のロドリゴが、慌てて私の方に泳いできた。

「ウォーーーーー！　ウォーーーーーー！」

　水の中では、空気を吸うためのレギュレーター（スキューバダイビングの機材）を咥えているため、会話ができない。彼が何を叫んでいるのかは分からなかったが、水中マスク越しでも彼の興奮を抑えきれない瞳が見えた！　これはチームが待ちわびていた吉報か……？

すぐさま、私はロドリゴの後を追う。

私達が発掘しているこの沈没船は16世紀頃に造られたとみられる。11世紀以降に造られた木造船は、人間の骨格でいうあばら骨のような「フレーム」という木材を何本も並べることによって形作られている。この船もフレーム自体はすでに発掘され、私達の前に姿を現していた。探しているものは、このフレームの下に隠れているはずだ。

1本1本均等に並んだ大きな木材と木材の間に、ロドリゴが掘ったばかりの小さな穴が開いている。発掘したての穴の周辺には、まだ泥が舞い上がってもやがかかっており、穴の底を目視することはできない。

「早く、中を確認したい！」

穴に腕を突っ込んでみた。

今まで発掘されたどの木材よりも大きな木材が手に触れる。４２０年も前の木材とは思えないほど、ツルツルしている。しかも、その上面の両脇には、他の木材をはめ込むための溝が彫ってあった。こうした溝を持った木材は西洋船では、１つしかない。

間違いない、キール（竜骨）だ！

キールとは、人間の骨格でいう「背骨」にあたる木材だ。船首から船尾にかけてまっすぐに船を貫いており、木造船はこのキールを軸に、フレームやほかの部位が組み立てられる。船の研究を始めるには、このキールを探すことが最初のステップとなる。

やっとだ、やっと見つけた……！

腕を真っ暗な穴から抜き、笑顔で待ち構えていたロドリゴとハイタッチを交わす（水中でのハイタッチはスローだ）。私は喜びをロドリゴに伝えるように叫んだ。

「ウォーーーーー！」

繰り返すが、水中では話すことはできない。くぐもった叫びでしか、今感じている喜びを彼に伝えることはできなかった。だが、それで充分だ。ロドリゴも頷き、今度は改めて握手を交わした。

ふとダイビングコンピューター（水深や水温などを測れる腕時計式の機材）に目をやる。我々が海底に着いて、30分が経過していた。

時間切れだ。

ロドリゴと私は、沈没船の他の箇所を発掘していた6人のチームメンバーと合流して水面を目指す。水面までたった27m。しかし、潜水病を予防するため、20分かけてゆっくり上昇しなければならない。深く水に潜った後、急に地上に戻ると周囲圧が下がり、身体の中に窒素の気泡が生じる。気泡が体内に残ってしまうと、身体の痺れや痛み、めまい、吐き気などの症状が現れる。それを避けるためだ。

船で待っているチームメンバーが私達の報告を聞いたら、どんな顔をするだろう。

ロドリゴと私はサプライズパーティーを企んでいる子供のように興奮を隠しながら、水面を目指した――。

これが、水中考古学者である私の〝発掘現場〟の風景だ。

「水中考古学」とは、その名の通り、水に沈んだ遺跡の調査発掘を行う学術研究である。日本ではまだ聞きなれない学問ではあるが、60年ほど前に誕生し、今やヨーロッパや北米をはじめ、世界中で数多くの水中調査や水中発掘が行われている。

私は2009年からアメリカの大学院で船舶考古学を学び、現在は世界中で水中調査・研究を行っている。

アメリカに留学した当初、私は英語が全くできなかった。マクドナルドでハンバーガーを注文することもできなかったし、半年間勉強しても、TOEFLの読解問題は1点しか取れなかった。だが、「こんなに面白い学問は他にはない！」とほれ込んだ水中考古学の勉強をしたい、その一心で英語を学び、アメリカの大学院に入学し、指導教官のもとに押しかけ、博士号を取得した。

そして、大学院卒業後、世界中の海に潜り、船の発掘と研究をしている。

ギリシャでは、それはそれは美しい海で発掘作業を行った。白い砂浜、青く透き通った海、その底に眠る50隻以上の沈没船……。まさにロマンである。私は海底で感動に打ち震えた。

しかし、水中考古学の発掘現場とは、毎回毎回そんな夢みたいな舞台ばかりではない。

「初めての発掘だ！」と喜び勇んで行った先にあったのは、なんと肥料と動物の死体が流れるイタリアのドブ川だった。

水中考古学者は綺麗な場所だから潜るのではない。「船がそこにあるから」潜るのだ。この川底にも、２０００年前の古代船が眠っている。一目、その姿を見てみたい、研究したい。意を決して潜ってみれば、そこには昨日沈没したとしか思えないほど、保存状態の良い船が埋まっていた。

発掘のために、中米南部コスタリカまで赴いたこともある。地元の住人達が「あれは海賊船だよ」と噂していた沈没船が、国立公園内の海に眠っていたのだ。野生のサル達の大合唱に悩まされながら「沈没船探偵」として推理した結果、この船は海賊船などではなく、コスタリカの人々のルーツにも繋がる奴隷船だったことが発覚した。

はたまた、ミクロネシアの海底では、珊瑚と熱帯魚に囲まれた日本軍のゼロ戦を調査した。とても幻想的な光景だが、この景色が生み出された背景には、第二次世界大戦時の日本とミクロネシアの関係も絡んでくる。水中戦争遺跡の辿ってきた歴史と現状について、ぜひ知ってほしい。

考古学の発掘は、1人では行えない。時に数十人のメンバーで協力して作業を進める。人が集まれば、そこには愛も生まれるし、同時に嫉妬もうごめく。発掘に来たはずが、いつの間にかメンバー達があちこちで恋のから騒ぎを起こし、痴話げんかに巻き込まれていた……なんてこともある。

そんな発掘現場のリアルを、この本では余すことなく紹介したい。

さぁ、一緒に、世界の水中遺跡を巡る旅を始めよう！

沈没船博士、海の底で歴史の謎を追う　目次

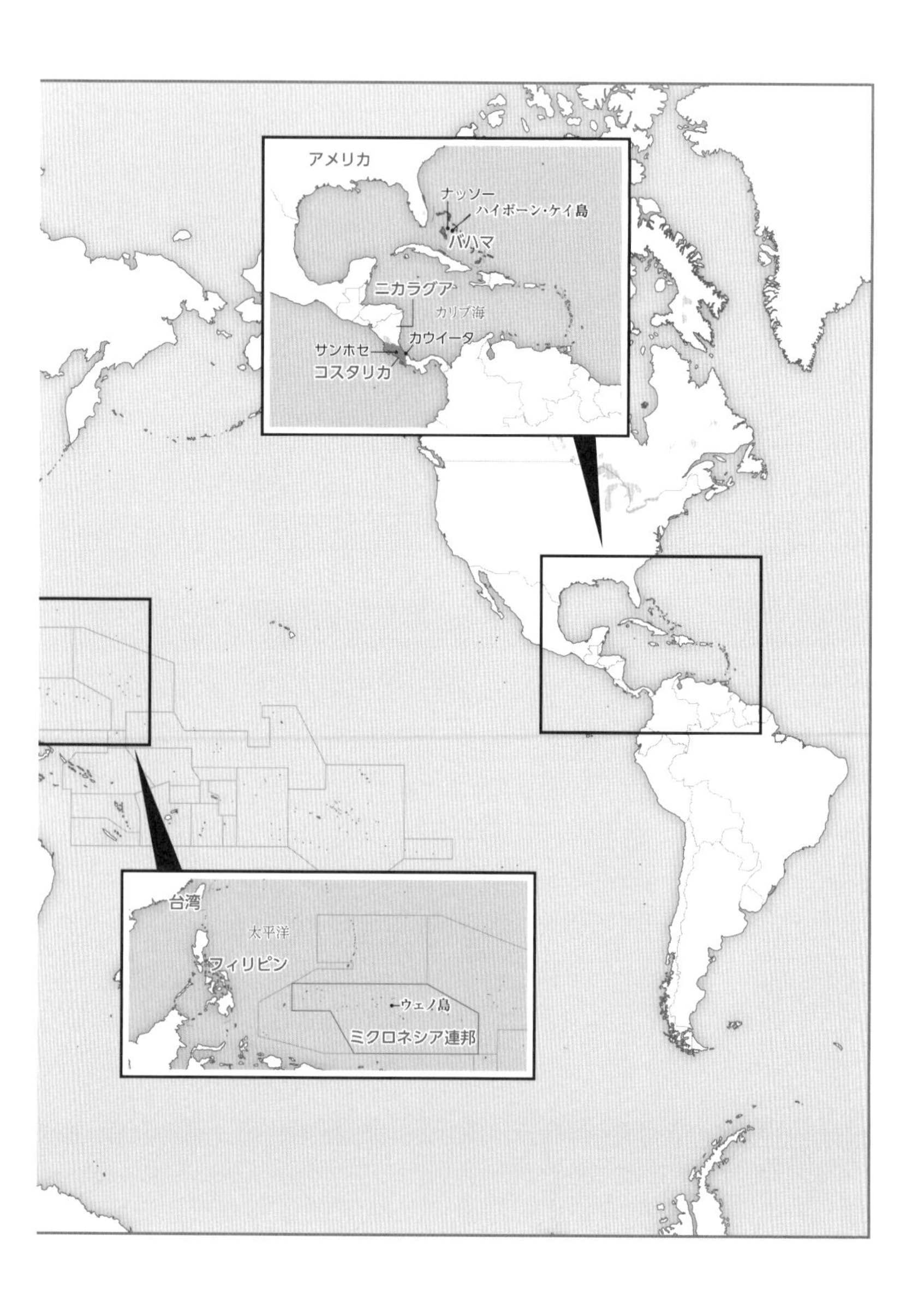

アメリカ
ナッソー
ハイボーン・ケイ島
バハマ
ニカラグア
カリブ海
カウイータ
サンホセ
コスタリカ
台湾
太平洋
フィリピン
ウェノ島
ミクロネシア連邦

本書で紹介されている発掘現場

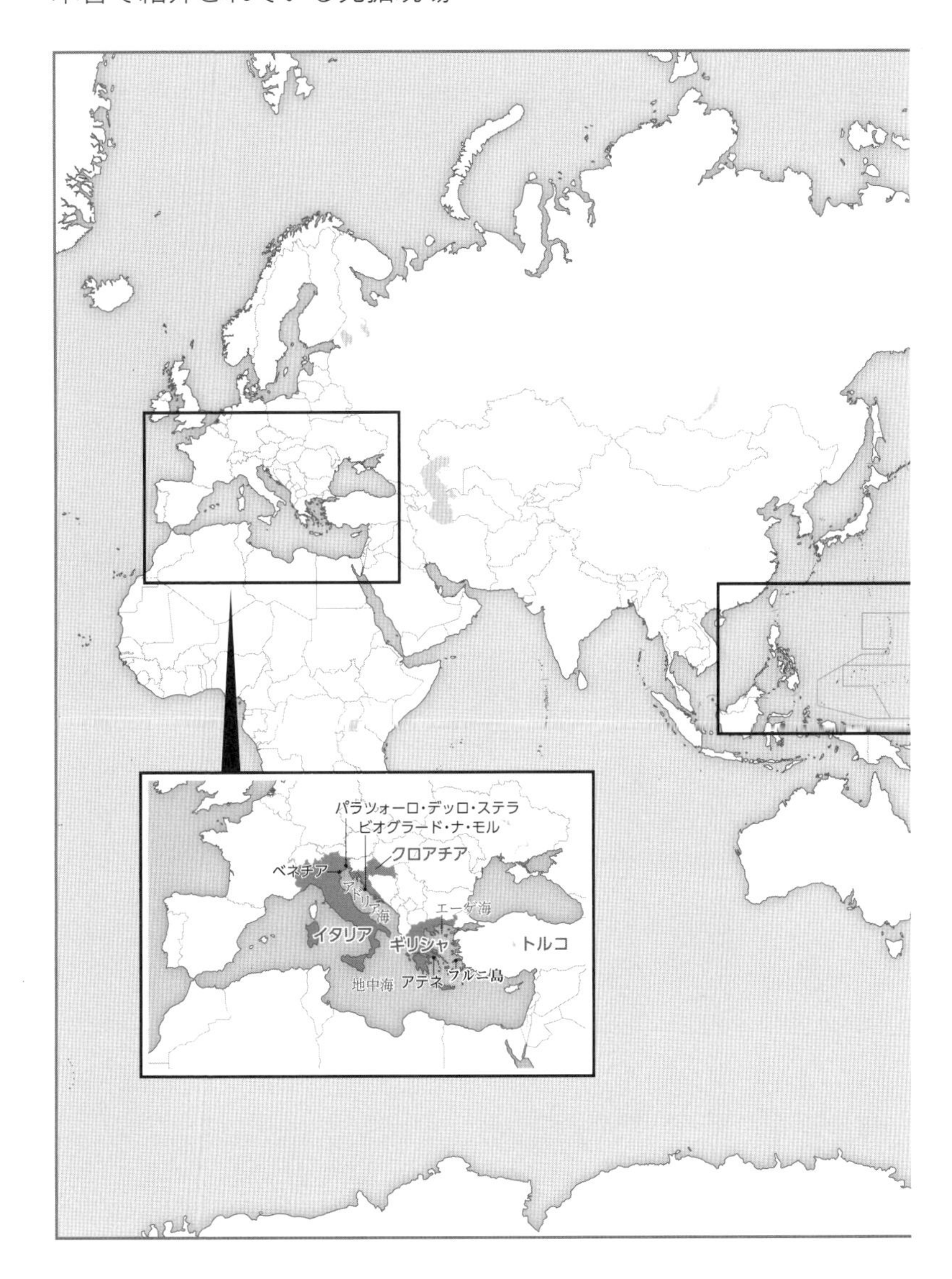

船の主な構造の名称

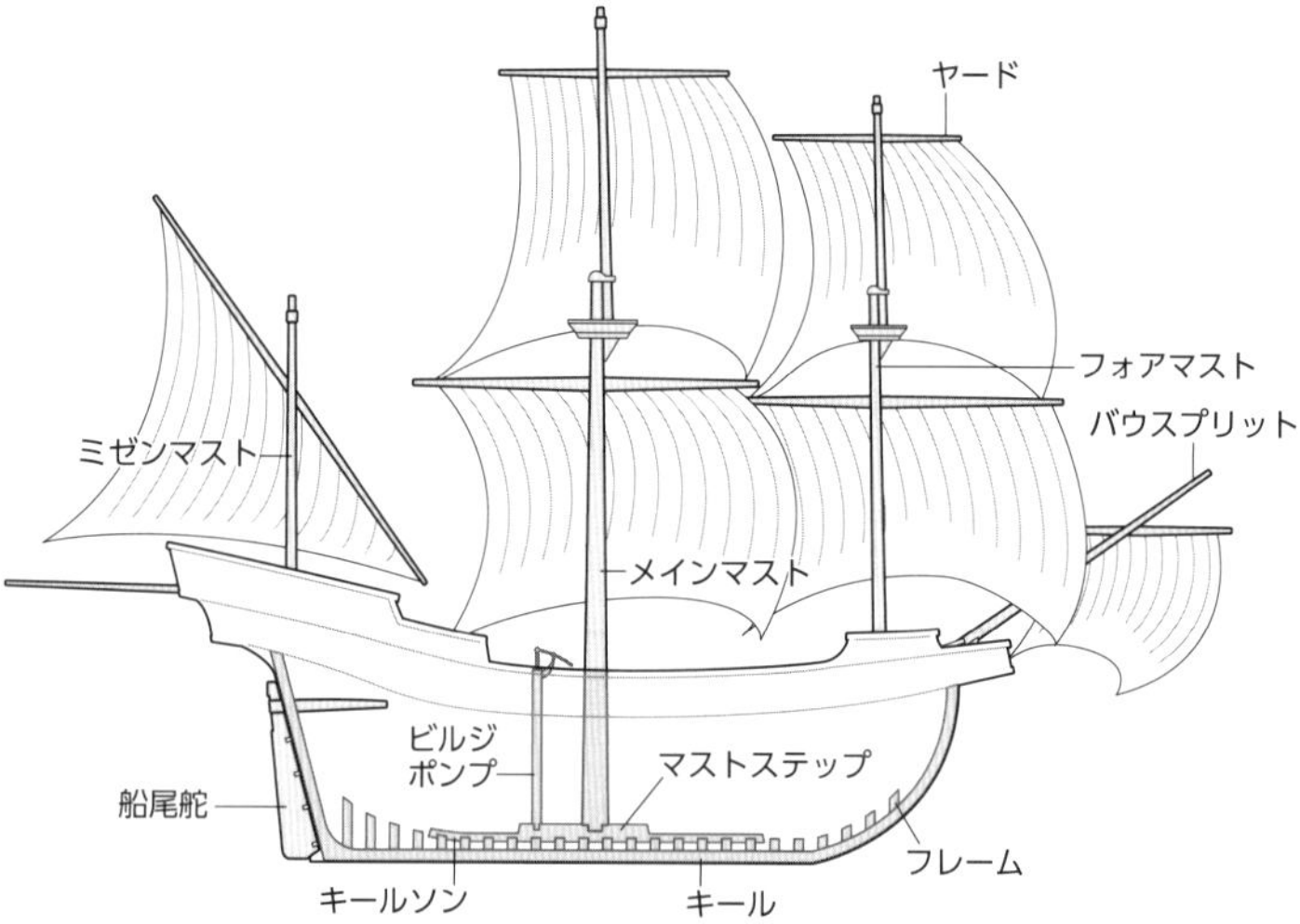

ヤード
フォアマスト
バウスプリット
ミゼンマスト
メインマスト
ビルジ
ポンプ
マストステップ
船尾舵
フレーム
キールソン
キール

沈没船博士、海の底で歴史の謎を追う

第1章　人類は農耕民となる前から船乗りだった

300万隻の沈没船

近年、貴重な沈没船の水中遺跡が凄い勢いで発見されている。水中探査機器の進歩や、レジャーとしてのスキューバダイビングが浸透したのに伴い、沢山の沈没船が見つかっているのだ。ギリシャのエーゲ海に浮かぶ島の周辺から、4年間の調査でなんと58隻の沈没船が見つかったこともある（この調査については第4章で詳しく紹介する）。

ユネスコは少なく見積もっても、世界中には「100年以上前に沈没し」、「水中文化遺産となる沈没船」が300万隻は沈んでいるとの指標を出している。

300万隻という数は一見多いように感じるかもしれない。だが、天気予報や水中レーダー、海図や造船技術が格段に進んだ現代の日本でも、転覆や沈没といった海難事故は毎年1000件以上起きている。このペースが過去1000年変わらなかったとしたら日本単独でも

10万隻もの沈没船があった計算になる。
つまり、ギリシャの島の周辺から58隻見つかったのは不思議でもなんでもない。むしろ少ないくらいだ。大量の沈没船が、まだまだ手付かずのまま世界中の海に眠っているのだ！

水中考古学

こうした沈没船や、水中に眠る遺跡を発掘・研究するのが「水中考古学」だ。

よく陸上の考古学と対をなし、独立して存在している学術分野ではないかと勘違いされるが、これは間違いである。水中考古学はあくまで一般的な陸上の考古学の一部だ。ただ、遺跡が「水中」という環境にあるため、陸上の遺跡よりも格段に保存状態が良いケースが多い。その一方で、発掘作業や海底から引き上げた遺物の保存処理作業に特殊な技術と知識も必要だ。これらの技能を身に付けた考古学者を包括的に水中考古学者と呼ぶ。「海の中でも発掘ができる陸上の考古学者」が水中考古学者というわけだ。

ここで重要なのは、考古学の神髄は発掘ではなく、発掘された遺跡や遺物を対象に行われる研究であることだ。エジプトの海底から神殿が見つかればそれはエジプト考古学研究の水中考古学者が行わなければならないし、日本で飛鳥時代の古墳が水中で発見されれば、それを専門に研究している考古学者が発掘研究を行わなければならない。

そして私の専門は、学問分野でいえば水や海に関わる人類の歴史を専門とする海事考古学の中の「船舶考古学」になる。

船舶考古学

「人類は農耕民となる前から船乗りだった」

私達船舶考古学者が、この学問の重要性を示すために使う言葉である。

船は交易と戦争において最も重要な機械として使われてきた。

アフリカから世界各地へ広まっていった人類、特に私達が属するホモ・サピエンスは最初、水よりも軽い質量のものを組み合わせた筏などを使用していた。そこから、より多くの人や積み荷を運ぶために丸太の内部をくりぬいた丸木舟、さらに丸木舟に側板を加えて大型化した準構造船へと改良していった。丸木舟や準構造船の遺跡は世界中のいたる所から発掘されている。

さらに時代が下り、古代エジプト文明などの時代になると、徐々に大型化、複雑化していき船が作られるようになる。19世紀の終わりに飛行機が発明されるまでは唯一、人が海を越えるための乗り物が船だった。そのため、常にその時代の最先端の技術がつぎ込まれている。

つまり過去の文明の船の構造を私達が研究することは、私達の子孫が、未来で21世紀のスペースシャトルや宇宙ステーションを研究して、私達の技術水準を知るということに似ているのだ。

また、沈没船が輸送船だった場合、沢山の積み荷を載せていることが多い。古来より港には内陸部から様々な商品が集められ、船に積まれ遠くの港に運ばれ、そこから各地に散らばっていった。船の積み荷を研究分析することによって当時の人々の貿易システムをかなり詳しく再現できる。

造船技術と積み荷の内容。この2つが船舶考古学において、重要なポイントとなる。

水中遺跡は「タイムカプセル」

船の遺跡の多くが水中で発見されていることも、船舶考古学が注目される大きな要因となっている。

船が沈んだ際、行き着いた海底が砂地だった場合、積み荷の重さや、沈没船自身が障害物になって起こった海流の変化によって、船体に砂が覆いかぶさる。これにより海底に埋まる無酸素状態になり、有機物でも何千年も綺麗なまま保存される環境ができ上がるのだ。いうなれば、真空パックに入れて冷蔵庫に保管しているようなものだ（残念なことに海底が岩場であった場合は木材を食い荒らすフナクイムシなどの海洋生物や海流の影響で、水中遺跡は数年でボロボロに朽ちてしまうが……）。

これまでに何隻もの古代船を発掘してきたが、海底から発掘された船体の木材や積み荷は、まるで昨日沈んだかのような綺麗な状態だ。陸上で発掘される遺跡とは比べ物にならない良好な保存状態のおかげで、これまでの陸上の発掘からは分からなかったようなことまで知ることができる。これが水中遺跡の最大の魅力なのだ。そのため沈没船遺跡は考古学者の間でよく「タイムカプセル」と呼ばれる。

陸上遺跡は「ミルフィーユ」

「陸上遺跡」と「水中沈没船遺跡」の違いはもう1つある。

それは、「連続性」の有無だ。

陸上遺跡はミルフィーユのように「層」となって見つかることが多い。どういうことかというと、町や都市の遺跡は、まず古い建物が壊され、その上に次の時代の建物が作られることが多い。実際、現在のイタリアのローマを発掘すると様々な時代の痕跡が層になり現れる。陸上の遺跡はこのような連続性を持っており、時代の流れをつかむことができるのである。

それに対し、どこかからやってきて、何らかの理由で沈んでしまった沈没船水中遺跡はその土地との連続性はほぼ皆無である。「時間から切り離された遺跡」なのだ。

沈没船遺跡を発掘すれば、その瞬間に切り取られた歴史が鮮明によみがえる。そういう意味で、水中沈没船遺跡というのは考古学で発掘研究される遺跡の中でも異質なのだ。

トレジャーハンターの正体

私が水中考古学の話題を出すと、「沈没船を見つけたら一攫千金ですね」とか「黄金のコインを見つけたらこっそりお土産に持って来てください」と言われることがある。日本のテレビ番組でも、芸能人がトレジャーハンターに弟子入りをして財宝を探すという企画が何度も放送されている。

しかし、トレジャーハンターと呼ばれる人々が、どのような悪行をしているか、この章の最後に知ってもらいたい。

彼らは簡潔に言えば盗掘者、トレジャーハンティングとは遺跡の破壊である。

トレジャーハンターの目的は歴史の研究でも保護でもない。「金（かね）」だけだ。沈没船遺跡を見つけるとメールボックスというL字型のパイプを船のスクリュープロペラの後ろに取り付け、スクリューの水の流れを下向きに変え、強い水流を海底に叩きつける。これによって、沈没船本体を徹底的に破壊する。水深が深い場合、ダイナマイトを使用することもある。

沈没船がバラバラに吹き飛んだ後、金属探知機を使って海底から金貨や銀貨などを探し、回収する。それをオークションなどで売るのである。

考古学も、他の学問と同様に、多くの先行研究者の知識と仮説の積み重ねと繰り返しによって歴史の神髄を徐々に明らかにしていく。先の世代の考古学者達がしっかりした情報を私達に残してくれ、そこに自分達の新たなデータを加え比較することによって、歴史の謎を解いていく作業が可能となっているのだ。私達も、次の世代へ、場合によっては数百年後の考古学者達のために遺跡の情報を残さなければならない。それをこっぱみじんに破壊することで阻んでいるのが、トレジャーハンター達なのだ。

さらに困ったことに、最近、トレジャーハンターも水中考古学者や海洋考古学者と名乗るようになってきている。トレジャーハンティングが国際的に明らかな犯罪行為と認識されてきたために、隠れ蓑として水中考古学者という肩書を利用しているのだ。学者としての経歴を捏造したウェブページを作り、実在する権威ある考古学者による紹介状まで作り上げる始末である。もちろん偽物だ。

彼らは言葉巧みに「記録作業などの〝考古学〟を行っている」と言って人々に近づきながら、相変わらず遺跡を破壊し金目の物を選定し引き上げを行っている。海中遺跡の破壊活動は誰にも見られることがないので、トレジャーハンター達は遺跡の破壊を海の中でのうのうと行っている。

幸運にも、まだ日本ではそれほどトレジャーハンター達の活動は活発ではない。しかし欧米で活動しにくくなってきたトレジャーハンター達が、次にアジアやアフリカ諸国をターゲットにしてくるのは確実だ。

ここまでざっと水中考古学の基礎知識や状況をお伝えしたが、いよいよ発掘・研究の現場にご案内したい。

第2章　発掘現場には恋とカオスがつきものだ

発掘シーズン到来

私が現在、ヨーロッパでの研究・発掘拠点にしている国、それはクロアチアである。長靴の形をしたイタリアのふくらはぎ側、アドリア海を挟んで向かい側に位置する国だ。

イタリア半島は地中海を東と西に分ける役割をしている。東地中海には古(いにしえ)の時代から、古代エジプト文明、古代ギリシャ、フェニキア、古代ローマ、ビザンツ帝国、ベネチア共和国などが栄えてきた。これらの文明とヨーロッパ大陸本土との交易は、アドリア海北端部に位置するベネチアを玄関口としていた。

その玄関口と東地中海を繋ぐ航路に位置するのが、クロアチア沿岸部のアドリア海なのである。そのため、この地域には、古代ギリシャの時代から現代に至るまでの様々な時代の船が沈んでいるのだ。

私はヨーロッパ各国での発掘調査の間、暇さえあればクロアチアに滞在し、現地の研究者と研究を進めている。日本に帰るのは航空機代がもったいない……という表向きの理由は確かにあるが、世界を飛び回っているにもかかわらず、実は高いところも飛行機も、大の苦手なのだ。搭乗時には、恐怖で毎回パニックになりそうになる。なので、飛行機に乗る回数をできるだけ減らしたい。ちなみに、船の研究をしているが船酔いもひどい。

ともあれ、クロアチアには「第二の故郷」と言っても差支えが無いほど滞在している。

「はじめに」で描いたのは、クロアチアでの発掘で最も印象に残っている、研究を大きく前進させる発見をしたシーンだ。まず、この時の発掘について、書いていきたい。

「小さな岩」と命名

初めてクロアチアを訪ねたのは、2012年の夏だった。

私はその年の夏にテキサスA&M大学の修士課程を無事に修了して、そのまま博士課程に進む予定だった。アメリカの大学は2セメスター制で、9月に入学式があり12月の初めまでが秋学期、1月の半ばからから5月の初めまでが春学期である。そして授業の無い夏の3カ月半は私達考古学プログラムに所属する教員や学生にとっては、沈没船の眠る現場に出られる〝発掘シーズン〟なのだ。

そしてこの年の夏、私は所属する研究室の室長であるカストロ教授の助手としてクロアチアでの発掘に同行することとなった。

水中考古学の世界では、船の名前が分かっていない場合は見つかった場所の名前が、沈没船とその発掘プロジェクトの名前となる。今回の船の場合、沈んでいる場所には直径50m程の岩の小島があり、地元の人は「グナリッチ」と呼んでいる。「小さな岩」という意味らしい。この小島にちなんで、グナリッチ沈没船、そしてグナリッチプロジェクトに名前が決まった。

実は、この船は50年前にすでに一度発掘調査が行われていて、クロアチアの考古学会ではかなり有名な沈没船だ。その時の調査では、船体の大きさは少なくとも20m×8m程度とされ、シャンデリアやガラス製品など豪華絢爛な装飾品も含め、様々な積み荷が引き上げられた。その積み荷の構成から、この船が16世紀または17世紀のベネチア共和国からの積み荷を載せた船である、ということも分かっている。

2012年の調査は、本格的に発掘調査を行う前の「試掘調査」のため、10日間の試掘調査、その前後に5日間の準備と1週間の予備調査があり、全部で約3週間の日程となった。

沈没船は港町近くで待っている

クロアチアの街並みは、白色の壁とオレンジ色の屋根に覆われている。白とオレンジのコントラストに木々の緑。そして、肝心のアドリア海は青く、干潮と満潮の差が少ない。そのために海のギリギリ近くまで建物が建てられている。日本の港町とはまるで違う風景だ。海には沢山の船や帆が見える。クロアチアの沿岸には1000以上の島が点在し、フェリーや個人の船が生活には欠かせないものになっている。さらにスポーツとしてのセーリングも人気で、至る街にヨットクラブがあり、美しい三角形の帆が列をなして遠くに見える。

やはり現地に到着すると、「プロジェクトに参加している」という実感がわいてくる。胸が高まり、ソワソワしてきた。

私達が3週間滞在するのは、美しい港町ビオグラード・ナ・モルのはずれにある貸しアパートである。

発掘現場といえば『インディ・ジョーンズ』や『ジュラシック・パーク』のような未開の

地をイメージされるかもしれないが、実は沈没船は人のにぎわう港町近くで見つかることが多いのだ。私自身、２０２０年までに20カ国で30のプロジェクトに参加してきたが、無人島に近い場所での発掘は３回しかない。

これにはいくつか要因がある。

まずは船が海難事故に遭いやすい場所がどこかということである。

今よりも格段に海難事故が起こる可能性の高かった昔の帆船でも、基本的には沈まないように作られている。よっぽど大きな嵐にでも遭わない限り転覆しないし、そもそも嵐でも転覆しないようになっている。つまり航海中に船が沈没することは、思いのほか少ないのである。

では、どのようなタイミングで帆船は海難事故に遭うのであろうか？

圧倒的に多いのは、「港を出てすぐ」と「港に帰ってくる時」なのだ。船は基本的には水深の浅い海岸線から距離を取って移動をする。しかし、出港と帰港のタイミングはどうしても陸に近づかなければならない。この時、暗礁や浅瀬に船の底が接触したり、乗り上げたりして座礁する危険性が圧倒的に高くなるのである。さらに出港の際には荷物の積み過ぎや、逆に軽すぎて船のバランスが悪くなり、風にあおられて転覆してしまうことがよくあった。海のど真ん中よりも、案外港の近くで海難事故は頻繁に起こったのである。そして、古来より港だった場所は、今でもそのまま港として使われている場所が多い。

2つ目の理由として、遺跡が発見される確率である。実は沈没船は、私達研究者が「ここに沈んでいるはずだ！」と狙って見つける事例は少ない。むしろ、地元の漁師や趣味でスキューバダイビングをしているダイバーによって偶然発見されることがほとんどなのである。

そのため発掘基地はたいがい港に近い街中になるわけだ。発掘期間中は、地元の貸しアパートを借りることが多い。日本でいう民泊のアパートを1棟借りて、寝室用の部屋、調査用の部屋、食事用の部屋とスペースを分けて数週間から数カ月、メンバーで共同生活をすることになる。

キールを探せ！

私達、アメリカのテキサスA&M大学から今回のプロジェクトに参加した4人は、まずクロアチアチーム側のトップ、ザダル大学のイレーナ・ロッシ教授と共に、地元の博物館でこれまでに引き上げられた積み荷の調査や、50年前の発掘の資料の確認、積み荷を沈没船付近で引き上げたという地元漁師への聞き取り調査などをした。

幸運にも、ザダルの考古学博物館の資料庫から50年前の発掘時に撮った写真や遺跡のスケッチ（簡易の実測図）を見つけることができた。徐々に資料が集まり、今回の発掘調査の最も

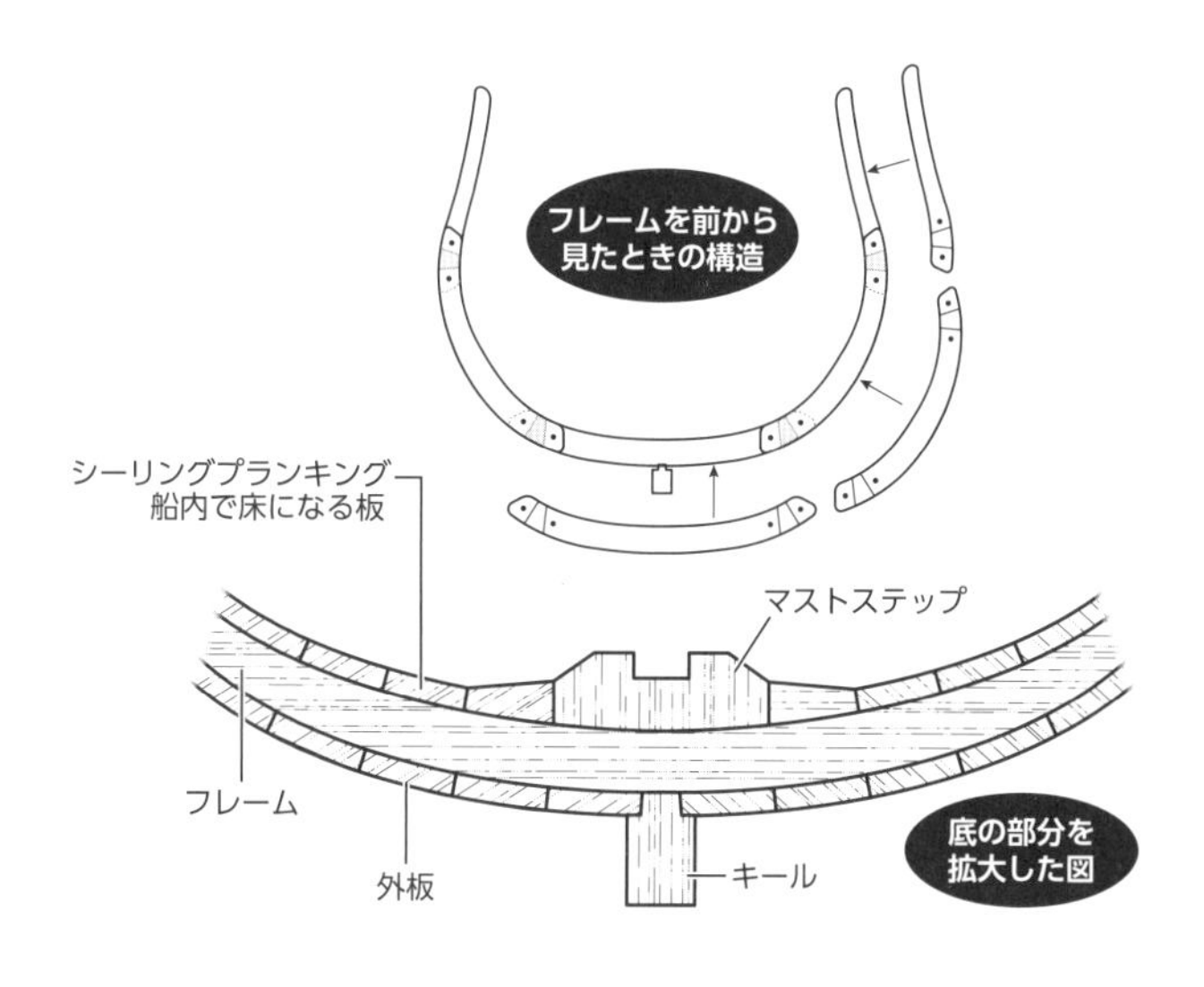

優先すべき目標もはっきりした。

「船底部」を見つけることである。

なぜ船底部なのか？　それは、この部分が造船技術情報の宝庫だからだ。

そもそも船は、船底部から造られる。「はじめに」でも少し触れたが、その中でもキール（竜骨）という木材が、船体の背骨として最初に組み立てられる。キールは、船首から船尾にかけてまっすぐに船を貫いており、このキールの上にフレームや外板が組み立てられ、船は造られるのだ。

そして、キールの中央部付近に、船で一番船幅が広い場所に設置される〝マスターフレーム〟という木材が存在するのだ。船は、一番船幅が広い場所から前後に徐々に幅が狭まっていく構造をしている。そのため、マスターフレームは船の全体の船型を決める重要な部位であり、船のデザインの基、つまりＤＮＡともいえる。

マスターフレームの他にも、帆の中でも最も大きいメインマストが風から受けた力を受け止め、船体に伝える「マストステップ」という台座や、船体に流れ込んできた海水を排出するための「ビルジポンプ」など、超重要構造が船体中央の船底部には集まっている。まさに船の心臓部分だ。（193頁に説明図が載っているので、見てもらいたい）

私達船舶考古学者にとっては、その時代の船の造船技術を理解するため、まず辿り着かなければならないのが、船底部なのである。そして、船体中央の船底部分を見つけるには、まずキールを見つけなければならないのだ。

しかし、実はこれは思っているよりも難しい。たとえ船体の木材が全部発掘され露出したとしても、沈没船を初めて見る人にとっては、ただのバラバラになった木材でしかない。なぜなら、木造船は沈没してから数年経つと、フナクイムシというミミズに似た海洋生物に船体を食い荒らされ、さらに水流や自重によって、船底部以外の部分はバラバラになるケースが多いのだ。『パイレーツ・オブ・カリビアン』で見るような完璧な沈没船は基本的には存在しない（ただし、塩分濃度と水温が低いバルト海・黒海・アメリカの五大湖の３カ所では沈没船が何百年たってもほぼそのままの形で発見されることも多い)。

それでも各木材の形状や、木材と木材を繋いでいた接合部の痕などの形には、その部位によって規則性があるので、それがどこにあたるのかを見極めながら効率よく発掘作業を行う。この見極めこそが、水中考古学者の腕の見せ所の1つでもある。

現場に着いても、すぐには発掘できない

ついにこの日が来た! 水中調査当日の朝、軽い朝食を済ませたら、そのままリビングルームでミーティングが始まる。ロッシ教授とカストロ教授によって、15人近くに膨れ上がったチームメンバーが3つのグループに分けられ、それぞれに作業が振り分けられた。ミーティングの後に各グループで確認しながら作業に必要な機材を車に詰め込み、車で5分ほど離れた港に向かった。この時はチームメンバーの数が多かったため、地元のダイビングショップから2階建ての立派なダイビング専用船をチャーターした。

沈没船の地点までは、この船で1時間弱程。私達は船のエンジンが完全に停止したらすぐに潜れるように、船内でダイビング機材と作業に必要な道具を準備する。

ウェットスーツの上に空気タンクを装着したダイビング用のジャケットを着た。海外での水中考古学プロジェクトでは、18ℓの空気タンクを使うことが多い。今回も18ℓの空気タン

クを使う。タンクは空の状態でも約22kg、空気が満タンの状態で約27kgになり、陸上では動くのがおっくうになるほどだ。しかし、一度水中に飛び込めば重さも感じなくなる。

風も穏やかで、波もない。船長から係留完了の合図が出ると、ロッシ教授とカストロ教授から作業内容の最終確認が行われ、その後、すぐに最初のグループの6人が水に飛び込んだ。

いよいよ、グナリッチ沈没船の50年ぶりの水中発掘が再開だ！

最初のグループの作業は、「グリッド（格子）」と呼ばれる水中作業時の足場となる鉄格子を海底に運ぶことだ。

沈没船の木材は何百年も水に浸かり、箇所によってはスポンジのように柔らかく、崩れやすくなっている。そのため作業ダイバーは発掘の最中はフィン（足ひれ）やそれが巻き起こす水流で木材を傷つけないように、フィンを脱いで作業しなければならない。よほどのダイビング上級者でない限り、フィンなしで逆立ち状態を保ちつつ発掘作業に１００％集中することは難しい。そのため足場となるグリッドが必要なのである。

また、グリッドは組み立てると１つが２ｍ×２ｍの正方形になる。海底遺跡上に番号をつけたグリッドをマス目状に張りめぐらせていき、その番号で作業ダイバーを振り分けたり、発掘された遺物がどこから発掘されたものか大まかに管理したりするのだ。

遺跡の周りを囲っているバーがグリッドだ

第2グループは第1グループが潜った30分後に潜行をはじめ、水中発掘の道具、「ドレッジ」を組み立てる。これは、排水用のポンプを改造した機材で、ガソリンを燃料としたエンジンで稼働する。早い話が「水中掃除機」だ。水中考古学の世界では、海底を直接スコップなどで採掘することはしない。このドレッジを片手で持ち、海底の土砂を吸引して、発掘するのである。

第2グループのメンバーが、ドレッジ用の排水ポンプや、筒、吸い込み口となる蛇腹ホースなどの必要機材を海底に運んで、組み立てた。

グリッドとドレッジ、この2つが用意できて、初めて水中での発掘作業のスタートラインに立てるのだ。

いよいよ私のいる第3グループが潜る番がきた。チームメンバーはカストロ教授を中心に、私を含め4人。私達のグループのミッションは、教授の指示に従い、ドレッジを使い水中発掘をすることだ。

現場に出られる！　私はワクワクを抑えきれなかった。

船はどこだ？

しかし、潜り始めて水深が深くなるにつれ驚いた。

「冷たい！」クロアチアの夏は日本と同じぐらい暑く、水面付近の水温も小学校のプール程度で、7㎜のウェットスーツを着ている私はへっちゃらだった。

しかし水深8～10mを超えると一気に水温が落ち込む。摂氏15度ぐらいだ。まだ海底は見えない。下は暗く、初めて潜る底の見えない海はとても不気味で、不安を感じる。

ようやく海底につき、教授と一緒に少し泳ぎ、第2グループが組み立てた水中ドレッジを見つけた。自分達が試掘する場所にそれを運び、発掘作業を開始しなければならない。

私は周りを見渡した。

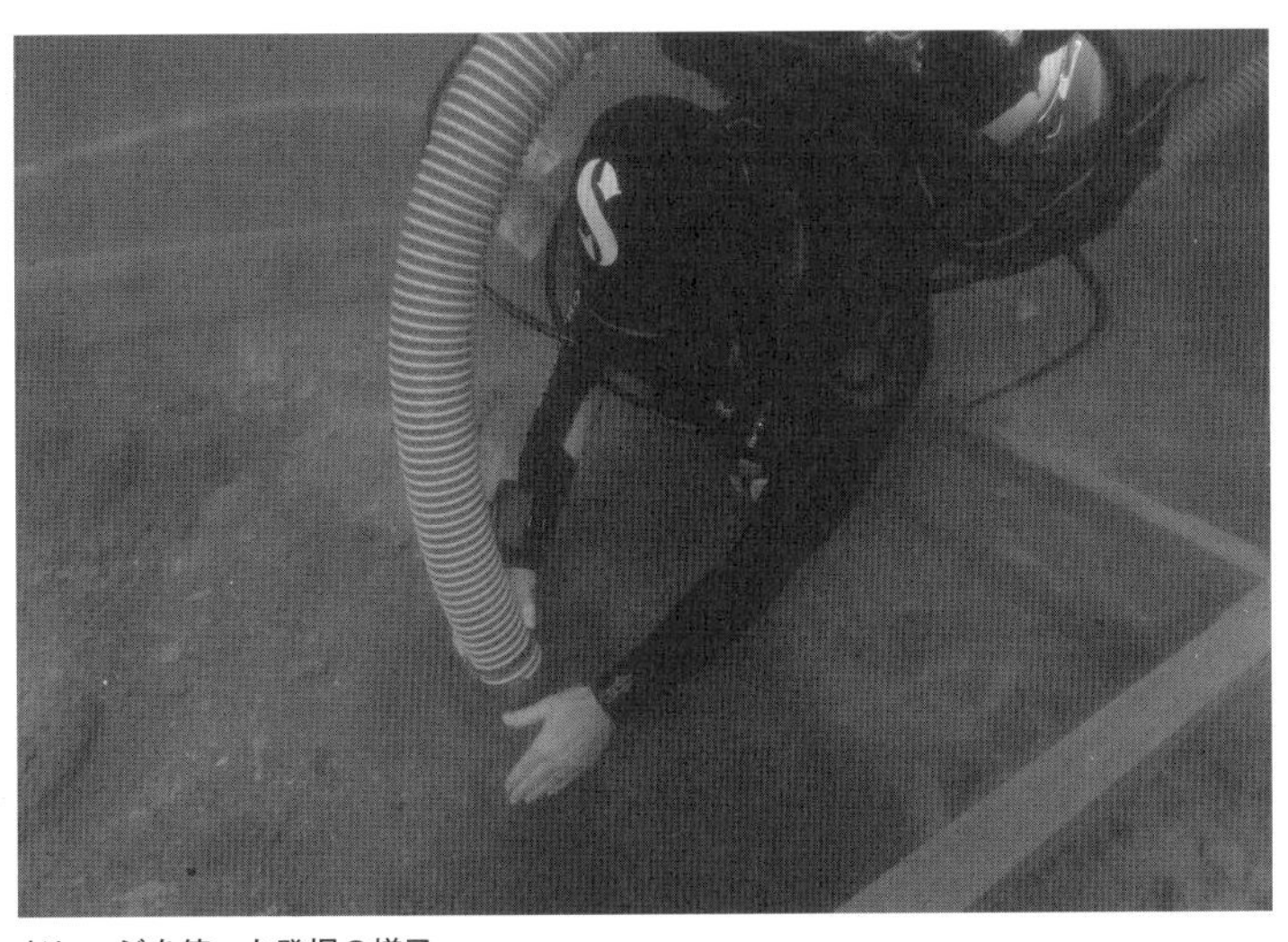

ドレッジを使った発掘の様子

「沈没船はどこだろう？」

事前調査の時に博物館で集めた50年前の水中発掘調査時の水中写真には、厳密な撮影箇所は分からないものの、船体とみられる木材構造物がしっかり写っていた。それが現場に行ってみても、どこにも無い。下部に広がるのは砂が堆積した海底のみだ。

それもそのはずである。前回の調査から50年の間に砂が堆積し、沈没船を完全に覆ってしまったのだ。そんな中、おもむろにカストロ教授が、ドレッジの吸い込み口を海底に近づけ、土砂を吸引し始めた。教授のように経験豊富な水中考古学者は海底の堆積物の様子などから、どこに人工物があるのか予想ができるのだ。

「ええっ、どうしてここだと分かるんだ⁉」と戸惑いながら、私も教授の邪魔にならないようにドレッジで発掘を始める。

地味すぎる発掘のリアル

水中での発掘作業はかなり地味だ。

重要なものを吸い込むのを避けるため、ドレッジの吸い込み口は海底に直接当てない。右利きの私は左手でドレッジの吸引口を持ち、右手で暑い日に手をパタパタやるように海底の砂を巻き上げ、それをドレッジで少しずつ吸っていくのだ。

ヒゲを器用に使いながら海底の砂を巻き上げ微生物を食べる魚がいるが、水中考古学者の作業風景はそれに似ているかもしれない。

とにかく、何かが発掘されないか全力で集中しながら掘り進んでいく。慣れてくると陸上でスコップを使うよりも早いスピードで掘れるようになる。確かに地道な作業だけどプチプチをつぶすようにハマってしまう。単純な反復作業が好きな私にはうってつけの作業である。

思わず夢中になっていると、教授に肩をたたかれた。時間切れである。2人で海面へゆっくりと浮上した。潜る前にあれほどあった緊張感は消え、「早くまた潜って作業を行いたい！」という欲求にかられる。

しかし、身体への負担を減らすために、水中での作業の後は最低2時間、体内に過剰に溜まった窒素を放出するための時間を取らなければならない。水深27m地点で行われるグナリッチ沈没船の発掘プロジェクトでは1回の海底での作業時間は30分、1日でも作業できるのは、1人当たりトータルわずか1時間なのである。潜水中に身体に溜まる窒素の量を考慮すると、これが1日に作業できる時間の限界なのだ。むろん27mよりも深い場所では作業時間はより短く、浅い場所ではより長くなる。

総じて水中考古学における作業時間は陸上の考古学よりもはるかに短い。これが、水中発掘調査が陸上の調査に比べ時間がかかる一番の理由だ。まさに時間との闘いなのである。

調査3日目、いよいよ船体とみられる木材が掘り出されてきた。沈没直後に積み荷の重さで海底に埋まってしまった船底部は、まるで昨日沈んだかのような良好な保存状態で、木材に年輪や船大工のつけたノコギリによる模様も表面にはっきり見て取れる。第1目標はコンプリートだ。当時の人々の痕跡を目の当たりにし、我々のモチベーションも俄然上がった。

このまま、キールをすぐに見つけ出したい！　私はゲームの続きが気になる子供のように、興奮して眠れない毎日を過ごした。

簡単には見つからない

私達の気合は空振りに終わった……。この年、キールを見つけることは叶わなかったのである。

舐めていた。1週間で発掘された積み荷が、なんと数百kgにもなったのである。想像を超えた量の積み荷が毎日出土し、水中発掘作業後の5日間は、ひたすら引き上げられた積み荷に登録番号を付け記録として残すための写真撮影に追われ、船体の発掘どころではなくなってしまった。

しっかりとした2m×2mの試掘が行えたのはたった2カ所だけで、そのうち船体構造の木材が出てきたのは片方だけ。私はその箇所の測量作業を行い、地図を作成した。しかし範囲が狭すぎて、それが船体構造上、どこの部分にあたるのか知ることはまだできない。

水中での作業がなかなか進まなかった悔しさと共に、これ程多くの積み荷を積んだ船がどのような船であったのだろうか、というワクワクと想像を膨らませながら、私達はアメリカに帰っていった。来年こそは、キールを見つけるぞ！

プロジェクトはつらいよ

2012年の経験から、2013年はさらに大勢のダイバーを投入した総力戦となった。テキサスA&M大学から7人、クロアチアのザダル大学からは10人の大学院生が参加し、さらにクロアチアの考古学者やプロフェッショナルダイバーなどを加えると常に30人以上のチームメンバーが参加する、水中考古学のプロジェクトとしては最大規模のものとなった。さらに前回3週間だった調査期間は、今回は約2カ月間である。

私は近年、年間6~7プロジェクトに関わっているが、1つのプロジェクトの平均は2週間ほどで、長いものでも1カ月である。水中考古学の発掘プロジェクトで2カ月間というのはかなりの長期だ。

普段はアメリカの大学院で課題や試験に追われ、研究室や図書館にモグラのように籠った生活をしていた私は、クロアチアの美しい海で働ける日々を待ちわびていた。アメリカの大学が夏休みに入ってすぐの5月末に、クロアチアに向かった。

私達がこの発掘で資料として最も頼っていた50年前の実測図によると、2012年に試掘した場所は、遺跡全体で見ると北側の西端の近くに当たる箇所だろうと思われた。実測図が正しければ、船の構造的には、船首にほど近い右側側面（右舷）となる箇所だ。キールは船体を船首から船尾にかけてまっすぐ貫いている。つまり、２０１２年に発掘した箇所から南下していけば、左舷にぶち当たる前に必ずキールが現れるはずなのだ。そのため、２０１３年は２０１２年に発掘した箇所を起点に、南方に８ｍほど、そしてその後は東側も徐々に掘り進めた。２０１３年の発掘シーズンが終わる頃には南北に８ｍ、東西に10ｍの範囲の遺跡があらわになった。

しかし、結果から言えば、目標にしていたキールは発掘できずに２０１３年の調査期間も終わってしまった。

ただ、この年の発掘で私はあることを学んだ。それは「学生を中心とした水中考古学のプロジェクトがいかに大変なものか」だ。考古学とは少し別の話になるのだが少しお付き合いいただきたい。

発掘症候群

一番は男女関係である。学生は若い。大学院生といっても20代がほとんどである。そのアメリカ人の大学院生６人とクロアチア人の大学院生10人（＋日本人１人）が大きなアパートを

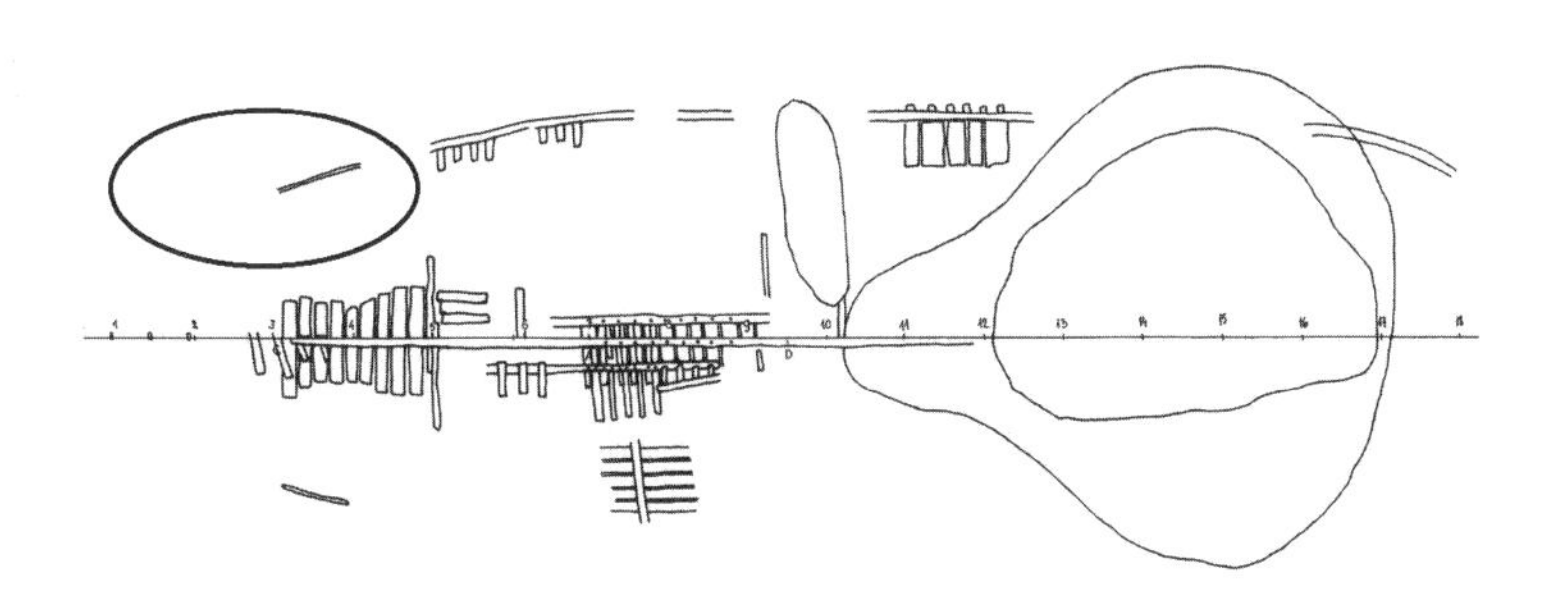

50年前の実測図の写し。左上の丸の箇所から南へ掘り進めた（53頁の実測図を参照）

貸し切り、２カ月も共同生活を送るのだ。トラブルが起こらない方がおかしい。

問題は１週間もせずに噴き出てきた。

まず、アメリカ人の女子学生がクロアチア人の男子学生に溺れるほどの恋をした。お相手の男子学生も最初は気のあるように接していたのに、彼女が自分に惚れたのだと確信すると急につれない態度を取り始めた。女子学生は絶望し、彼の気を引くために別のクロアチア人の男子学生にアプローチし始める。仕事そっちのけで言い寄ってくる彼女に、クロアチアのチームはうんざりしていた。

別の所ではアメリカ人の大学院生男女がいい感じになっている。その男子学生にはアメリカに彼女がいたのだが、何せ遠い海の向こうで、浮気に気づかれる心配はない。ここぞとばかりに女子学生にアプローチを仕掛けていた。しかし、別のクロアチア人の男子学生もその女子学生に恋をした。

さらにもう1組、クロアチア人の大学院生同士が恋仲になっている。最初は仲睦まじいカップルだと思ったのだが、お互い別に恋人がいるとのことだった。

「何じゃこりゃ？」

しかし、その後いろいろな国でプロジェクトに参加して気がついたが、メンバーの平均年齢が若い場合、このような色恋沙汰を含んだ混沌とした事態はよくあることなのだ。私達はこれを「エクスカベーション・シンドローム（発掘症候群）」と呼んでいる。いわゆる「スキー場では何割増し」というやつである。

「魔の3週間目」

その上、水中考古学のプロジェクトでは、「開始3週間目」が鬼門だ。

毎日水中作業をしていると、どんなに体力のある人間にも徐々に疲れが溜まってくる。その疲れのピークの第一の波が来るのが、大体2週間目が終わる頃なのである。

さらに追い打ちをかけ、ストレスの原因になるのがプライバシーの無さである。

先ほども述べたようにプロジェクトではアパートを借りて共同生活を送る。1部屋に5〜

6人で生活することもざらで、このグナリッチプロジェクトもそうであった。1人になれる空間など存在しないし、トイレやシャワーも好きな時に使えない。最初は楽しくとも、共同生活が苦手な学生にはだんだんと耐えがたい環境になってくる。その変わり目が約2週間が終わった頃なのである。

2013年のグナリッチプロジェクトでも、3週目に入った頃に、大声で言い争う姿がちらほら見えるようになった。

クロアチア人の男子学生に恋をしたアメリカ人女子学生は毎日泣いており、周りの学生達からは反感を買い、同時浮気中のクロアチア人カップルは毎日大声で喧嘩しており、アメリカ人の女子学生を取り合っていたクロアチア人男子学牛とアメリカ人男子学生は殴り合いの喧嘩にまで発展した。

発掘作業に没頭していたカストロ教授とロッシ教授もようやく「これはまずい」と気が付き、口頭で注意をしたり、仲の悪い学生を別々の作業に振り分けたりしたが、時すでに遅し。学生達の問題解決に毎日追われ、発掘作業に集中できなくてうんざりした様子だった。

ただ、そのおかげで教授達の行うはずであった重要な仕事のいくつかを任されたのは、私にとっては幸運な出来事だった。

〝問題を起こさないメンバーを選ぶ〟。それが極意だと学び、アメリカへ帰った。

焦りは禁物というものの

２０１４年の夏に私は再びクロアチアに戻ってきた。３年目である。

どうにかして、キールを見つけ出したい……。

もはやワクワクを通り越して焦りを少々感じながら、現地入りをした。

教授２人も前年の反省を踏まえ、より信頼できるメンバーを選抜して連れてきた。テキサスＡ＆Ｍ大学の学生は私を含めて５人で、その中には大学院時代の一番の親友で同じ船舶考古学博士課程のブラジル人留学生のロドリゴと、その奥さんで文化人類学博士課程のサミーラがいた。ポルトガル人のカストロ教授を含め、アメリカでは外国人の私達４人は、毎日大学の研究室で顔を合わせるだけでは足りず、ほぼ毎週末カストロ教授の家に集まり昼間から飲み明かし、本物の家族のように過ごす仲だった。

クロアチア側のチーム編成を手掛けたロッシ教授もグナリッチプロジェクトが始まる数カ月前に別の水中遺跡でフィールドスクールを事前に開催し、そこで優秀だった学生を７人、選抜し連れてきた。さらにこの年はヨーロッパ各国からも水中発掘経験のある考古学者や大学院生が参加し、とても国際色豊かな発掘チームになった。そしてこの年も約2カ月間にわたる長期発掘で、前年に引き続き、遺跡の南方の方角に発掘を続けていった。

どうして見つからない？

毎日掘れど探せど、全くキールに行き当たらない。

「何かがおかしい！」

実は、2013年の発掘シーズン半ばから、私は徐々にそう感じるようになっていた。2年も発掘しているにもかかわらず、肝心の「キール」が全く見つからないのだ。実測図を基にしているのに、こんなに長期間見つけられないのは、正直、異常だ。船舶の構造史を専門としているカストロ教授も同じように感じていたようだった。

通常、船を安全に航行させるためには、船体の重心を低く取る。そうでないと、船体のバランスが取れないからだ。そのために重い荷物をより低い部分に積み、軽い荷物をその上に積んでいく。

グナリッチ沈没船に当てはめると、２０１３年の終盤には遺跡の南西側で全長1.2ｍ、直径70㎝程にもなる大樽が列をなした状況で発掘された。大樽は半分が朽ちており中身が何か分からないが、いずれにせよ全体で１００kg以上の重量になったはずである。そのすぐ南でも長さ50㎝程度、直径40㎝程度の小樽が複数発見された。中身は白鉛のインゴット（地金）で、樽の重さは1つ当たり40kg近くになっただろう。これだけの重量の物を積んでいるということは、ここが船底だと考えることに、特に違和感はない。

つまり、50年前の実測図に従い、南方に掘り進めれば、キールに突き当たる可能性は高い。

ただ、これまでの発掘で、腑に落ちない箇所がいくつかあった。

まず、２０１４年の発掘で、インゴットのさらに南側から円形の窓ガラスが大量に発掘されたのだ。本来ならば、キールに近づくにつれ、積み荷は重い物になるはずだ。それなのに、樽やインゴットよりも軽い積み荷が出てくるとは……。この時点で、「私達はキールを通り過ぎているのか？」との疑念がよぎった。

もう1つは２０１２年、このプロジェクトが始まる際に、まず最初に試掘をスタートさせた場所だ。

沈没船遺跡の最北端の西側のことなのだが、ここは発掘してみると、壁のように船体が垂直方向に伸びていた。50年前の実測図では、そこは船首にほど近い右側側面（右舷）にあたる。本来、船首付近の船体は丸みを帯び、まっすぐな部位など存在しないはずだ。

この箇所には、もう1つ、不自然な点があった。

船体の内側に貼られた板を「シーリングプランキング」という（33頁の図を改めて見てほしい）。実測図通り船首近くの右側側面ならば、この部位に貼られるシーリングプランキングは船体の内側から見れば、壁代わりになる。壁板ならば、当然、重力で落ちてこないように、しっかりとフレームに留められていなければならない。

しかし、私達はこの箇所から、フレームに留められていない1枚の板を見つけていた。このように留められていないシーリングプランキングは、船底部でよく見られる形だ。船底部ではフレームとフレームの間を掃除する際、排水時の水をスムーズに流すため、あえてフレームに留めないで簡単に取り外しできるようにしておくことがあるのだ。実測図と実際の船の構造が一致しない……。

だが「すでにキールを通り越してしまっているのでは」というのは私の推測に過ぎない。チームは50年前の実測図に従い、予定通り南方に向かい掘り進めていた。

2人でこっそり推理

プロジェクト開始から1カ月が経つ頃、ザダル大学から学生の増員があり、調査チームの借りていたアパートが満室になった。そこでロドリゴと私、そしてサミーラだけが新たに近くに借りたアパートの一室に移動することになった。

ロドリゴと私は海から帰ってくると新しいアパートのバルコニーで、写真から3Dモデルを作成するフォトグラメトリという最新技術を使った発掘現場の記録作業をしながら、地元の市場で買った焼きたてのパンとアンチョビをワインと一緒にたらふく食べるようになった。夕日のオレンジ色に染まったクロアチアの美しい海を見ながら、地元産のワインで乾杯する。至福の時間だ。しかし結局はいつも同じ話題に戻る。

「キールはどこにあるんだろう?」

ある日、ロドリゴが何気なく呟いた。

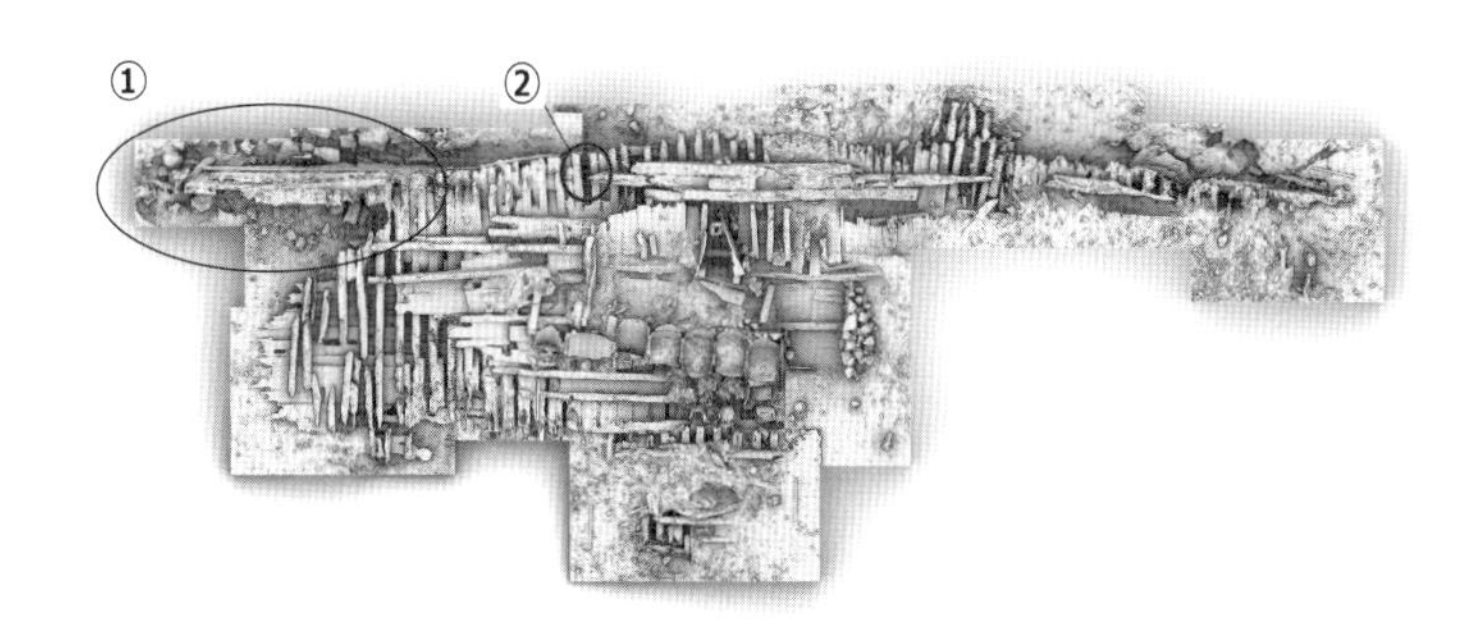

2018年に作成した実測図。①が45頁で丸で示した箇所。②がキールが見つかった箇所

「もしかしたら、今、参考にしている50年前の実測図が間違っているんじゃないか？」

50年前の遺跡の写真や発掘の記述などを読み込んでいた私は、実測図を疑いつつも、一方で、「まさかそんな大きな間違いがあるはずないだろう」と確信が持てないでいた。

しかし、ロドリゴに言われて私は再び推理し始めた。積み荷の重さのバランスを考えると船底部は皆が発掘を進めている南方よりも、もっと北側にある可能性が大きい。留められていないシーリングプランキングの位置を考えると、かなり北端の近くと推察される。

問題は北端西部分にある、あの壁のような構造だ。50年前の実測図によれば、ここは「船首」となるはずだ。くどいようだが、船は基本的に丸く平たい形状をしている。

しかし、実はその中で、1カ所だけ直立の壁のようになる箇所がある。船体の船尾側の船底部である。ここは水を効率よく船尾にある舵に流すため、ほぼ直立の構造をしているのだ。グナリッチ沈没船に当てはめて考えてみよう。もし、あの壁のような構造が、船首にほど近い右側側面ではなく、船底部最後尾だと考えたら……。実測図とはまるっきりさかさまになるが、きっちり船の構造として全体が成立する！

「あーーーーっ！」全てのつじつまが合ってくるのだ!!

私とロドリゴはこっそりカストロ教授を私達のアパートのバルコニーに呼び出し、考察を伝えた。教授はすぐに一言、「間違いない」。

キールは分厚いフレームの真下に隠れていて、確認するのはとても困難な部位だ。しかしカストロ教授曰く、1カ所だけフレームの外れている箇所がある。そこを真下に50㎝程掘ることができればキールを見つけられるかもしれないということだった。逆に言えば、頑丈で強固な船底部のフレームを動かすことなくキールを見つけられるとしたら、その小さな穴しかないのだ。

あとはキールを遺跡で見つけるだけだ。気づけば発掘作業もあと3週間。しかし、最後の

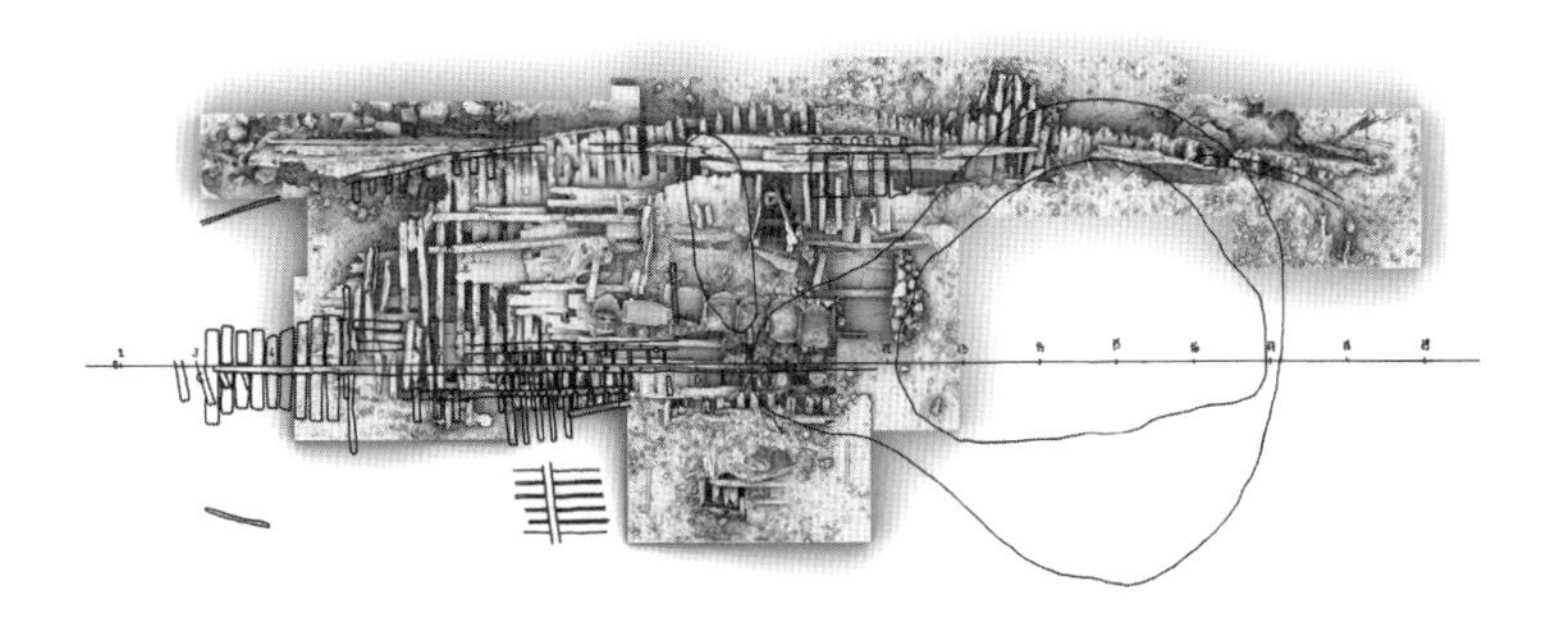

50年前の実測図と、2018年の実測図を重ねたもの

1週間は遺跡保護のため、次のシーズンまで遺跡全体に布をかぶせて、土嚢をのせ、土で埋め戻す作業を行わなければならない。つまりチャンスはあと2週間ほどしかなかった。

内緒の発掘作業

私達3人がバルコニーで話をした次の日、ロッシ教授とカストロ教授は、市役所とのミーティングのためにチームを離れなければならなかった。朝のミーティングでチームを振り分け、その日の作業内容を伝える。その日の発掘作業も50年前の実測図の情報に従い南側で行われる予定だった。私はテキサスA&M大学から参加していた水中発掘初心者の2人の大学院生に水中での発掘作業を教えることになった。

朝のミーティングを終えると私達は、2人の教授と別れ港を後にし、グナリッチ沈没船に向かう船の中で、私とロドリゴはこっそりクロアチアの大学院生の中心メンバー2人を呼び出し、事情を話した。下手に情報を錯綜させるとチーム全体に混乱を招きかねない。そこで、2012年から一緒に働いており信頼関係をしっかり築いているこの2人だけに「このまま南に掘り進めても、キールはたぶん見つからない。おそらく遺跡の北端にある」と伝えた。2人は驚いた顔をしていた。

彼らはロッシ教授の現場監督代行とダイビング責任者でもある。チームメンバーとダイビングの順番を少し組み換えて、ロドリゴを自由に動けるようにしてもらい、水中に3カ所設置されたドレッジの1つを北側に移動して、その穴を掘るために使えるようにしてもらった。

その日のダイビングは午前・午後の2回予定されていた。午前中ロドリゴはカストロ教授に示唆された穴を見つけ、発掘をはじめた。穴は50cm以上あり、幅は30cm×80cm程だ。1回目のダイビングでは底まで掘ることはできなかったが、私達には確信があった。クロアチア人の2人もそわそわしている。

午前中のダイビングでドレッジが1つ北側に動かされたのを他のメンバーも気づき、なんとなく私達がそこでキールを探していることはバレ始めた。そもそも最高機密というわけではなかったが、任された作業を放っぽりだして、相談もなくグループと作業内容を変更しているのだ。もしキールが見つからなかったらロッシ教授に怒られるだろう。

それでも私には自信があった。絶対に見つかる！

昼食を食べ、私とロドリゴは2番目のグループとして午後のダイビングを行った。水に飛び込んでしまったらもうロドリゴと言葉を交わすことはできない。大丈夫。必ずキールはこのダイビングで見つかるはずだ。それから20分後――。

その時、私は大学院生達に水中発掘の仕方を教えていた。

そこにダイビングインストラクターの資格も持ち、普段はウミガメのように優雅に泳いでいるロドリゴが、「はじめに」で描いた通り、興奮した様子でジタバタ泳いできたのだ。

私は、大学院生達をほかのメンバーに預け、すぐさまロドリゴの後を追った。

いつもは透明度が約20mもある沈没船遺跡も、水中発掘が始まると水中ドレッジの吐き出し口から舞い上げられた土砂が流れ込み、遺跡周辺だけ5m程度に透明度も落ちる。霧のかかったような遺跡現場の中を6mほど北に進み、ロドリゴが掘ったばかりの穴を確認する。穴といっても見た目はフレームとフレームの間の30㎝×80㎝程の隙間だ。深さは50㎝は優に超えているだろう。

海底が薄暗く、穴の中を目視することができない。水中ライトで照らしてみても、穴の中は泥が舞っており、はっきりと確認できなかった。そこで腕を伸ばして入れてみる。

穴は深く、肘まですっぽりと入った。

「この先には、何がある？」緊張しながら、指先に神経を集中する。

すると、大きな木材の感触があった！　表面をさすってみる。それこそホームセンターで売っている木材のようにツルツルだ。これが４２０年前の木材だというのか……！　木材の上部の両角には外板をはめ込むための溝があった。このような溝を持った木材は西洋船の中ではキールしかない。これは間違いなくキールなのだ！

２０１２年に掘り始めて3年目、ようやく私達はこの船のキールを見つけることができたのである。蓋を開けてみれば、船の実際の向きと実測図は、全くのさかさまであった。まさか、50年前の実測図が間違っていただなんて……。１枚の紙に惑わされ続けた3年間が、ようやく終わった。ここからが、本当の研究のスタートである！

その日の夕方、市役所での会議から帰ってきたロッシ教授とカストロ教授にキール発見の報告をした。

「どこで？」ロッシ教授は驚いていた。私は発見場所と、そこを掘った理由を伝えた。カストロ教授は横でニヤニヤしている。ロッシ教授も私達が混乱を避けるために事前に報告しなかった事情を察してくれ、私とロドリゴがチーム編成を変えたことを責めず、3年間待ちわびていたキールの発見を純粋に喜んでくれた。他のチームメンバー達も祝福ムードである。


キールの発見により発掘作業場所が一変した。

翌日から全てのドレッジが北側に集められ、遺跡の東部から西側に発掘が進められた。すると、海底からゴロゴロと大きな岩が発掘されるようになった。「バラスト」だ。これは船底中央部に船を安定させるための重りとして積まれる。これが見つかるようになったということは、キールをたどり、ついに船の中央部までたどり着いたことを意味する。

バラストの下にメインマストを受け止めていた「マストステップ」という台座があり、さらにその下のどこかにマスターフレームが眠っている。沈没船の心臓部までの道筋が見えた所でこの年の時間切れとなった。

私達は残りの数日で沈没船遺跡が劣化しないように封印し、シーズンを終えた。

沈没船の名は

いよいよ研究本番だ！　と息巻いたものの、実は我々のグナリッチ沈没船の発掘調査は、資金難のためいったん休止となってしまった（2016年から小規模に再開し、2021年現在も続いている）。これまでの調査から明らかになったグナリッチ沈没船の来歴を紹介したい。

1583年、ベネチア共和国にオスマン帝国から1つの注文が舞い込んだ。皇帝ムラト三世の宮殿（男子禁制のハーレム）が焼失し、その修復に5000枚の窓ガラスが必要だ、という内容だった。その年の10月、ある船が注文通り5000枚の窓ガラスを乗せ、ベネチアを出港した。1569年に建造された積載量755トン、全長約40m、当時でも最大クラスの大型船であった。

コンスタンティノープルに向けて出港したこの船は、そのわずか数日後に、現在のクロアチア沿岸中部の都市ザダルの南方、ビオグラード・ナ・モルの沖合で沈没している。秋に吹く強い北風の影響によるものとみられている。

船の名前はガリアナ・グロッサ号という。これが、グナリッチ沈没船だ。

実はこのように沈没船の詳細な歴史が分かるのは稀である。ここまで分かったのは、歴史文献学者でベネチア共和国のガレー船の専門家のマウロ・ボンディオリ氏が、ベネチア国立公文書館に残されたガリアナ・グロッサ号の積み荷の構成の記述と沈没位置と、私達が発掘したグナリッチ沈没船からの出土品を照らし合わせたからだ。彼は、当時の手書きの資料を公文書館で数年をかけて調査し、ようやく突き止めた。

ただガリアナ・グロッサ号、つまりグナリッチ沈没船には、未だ1つの謎が残っている。それは、この船がどのようなデザインであるか、という点だ。この沈没船のように風力で推進力を得る輸送船（ラウンドシップ）のデザインに関する詳細な記録はまだ世界的にも見つかっておらず、ベネチア造船史のブラックボックスとなっている。

この謎を解くのが、現在もグナリッチ沈没船プロジェクトの、そしてボンディオリ氏を含めた私達調査チームの最大の目的となっている。謎が解き明かされた時、私達は船の歴史を新たに更新することになるだろう。そのヒントは、未だ海の底に眠っている。

第3章　ＴＯＥＦＬ「読解1点」でも学者への道は拓ける

アメリカで初めて受けた洗礼

「１００ダラー、オンリー、ヒア」

ものすごくゆっくりと、簡単な単語だけでタクシー運転手が私に話しかけてきたのは、アメリカ南部のテキサス州最大の街・ヒューストンから1時間ほど走った所だった。困惑顔の私に、運転手は呆れたように、もう一度、ゆっくりと言ってきた。

「２００ダラー、オーケー？」

ようやく状況が分かってきた。私はぼったくられそうになっているのだ。話が違う。たしか乗る前には「目的地まで１００ドルぽっきり」と言っていたはずなのに！

その目的地までは、車でもあと1時間は掛かるはずだ。完全になめていた。自分の甘さと不甲斐なさを痛感しながら、私は力なく「オーケー」と答えた。

これから少なくとも数年間続く留学生活は、どうなってしまうのだろう。

期待200％でアメリカに降り立って2日目、さっそくしょんぼりとしてしまった。

将来はプロ野球選手

私は1984年、秋田県で生まれた。

一人っ子でわがままに育つ私を心配したのだろう。小学3年生の頃、父が転勤族だったため当時住んでいた名古屋市で、両親は私を少年野球チームに入れた。これが野球との出会いだった。中学生で千葉県市川市に引っ越したが、「将来はプロ野球選手になれる」と信じ、ひたすら野球に打ち込み、法政大学第一高等学校にスポーツ推薦で入学した。

その高校時代、大きな挫折を味わう。2年生の春に右肘をけがしてしまったのだ。夏休みに手術を受け、再び球を投げられるようになったのは、3年生に上がった後だった。

小さい頃から甲子園を目指し野球を続けていたが、結局夏の予選のベンチに入ることもできずに終わる。今思えば当然の結果なのだが、当時は全てが嫌になるほど絶望した。

でもそのままでは野球を辞めることができなかった。付属校で大学受験の無かった私は、リハビリと練習を続け、大学野球の名門の法政大学でも野球を続けることにした。

夢をあきらめる

大学野球部のレベルは想像以上だった。甲子園や野球雑誌で見てきた選手が同級生として入ってきたのだ。その中でなんとか活躍できるようになろうと「他人よりも努力さえすればいつかは結果が出る」と妄信し、効率の悪い練習を繰り返した。当然身体に負担がかかり、色んな箇所に痛みを抱えていた。目立った成長もない。万年バッティングピッチャーだった。

3年生の初め、野球推薦の新入生が自分の横で150km近い球を軽々と投げているのを見た時に、どんなにもがいても敵わない世界があると思い知らされた。

この時、私は小さい頃から憧れていたプロ野球選手になる夢は実現せずに「夢」で終わるのだと知った。

その代わりに得たものもある。

野球部員は基本的に全寮制で、選手は全員朝から晩まで野球漬けの生活を送る。今、水中考古学者として世界で研究活動をするようになって、この寮生活の経験はとても役に立っている。第2章で書いたように、発掘中はチームで共同生活を行う。集団生活が苦手な人は本当に苦労しているが、私は大学時代で寮生活に慣れているため、発掘調査中もプライベート空間がほとんどないことが、苦にならないのだ。

水中考古学との出会い

小学校から大学まで野球漬けだった私だが、研究者を目指すきっかけは、「読書」だった。父親が本を読むのが好きで、私は幼い頃から物知りな父に憧れていた。高校時代は往復2時間かかる通学時間を利用して、父親の本棚から司馬遼太郎先生や池波正太郎先生の歴史小説を借用して読むようになった。

そのうちに父親の持っていた本以外の分野にも興味が湧き、古生物学や宇宙物理学、哲学や宗教学関連の入門書も読むようになった。その中で一番好きだったのがやはり歴史関連の本だった。そんなこともあり、法政大学に進学する時には、文学部史学科を迷わず選んだ。

卒業論文のテーマを決めるため、大学の図書館に通っていたある日、運命の1冊と出会う。アメリカのジャーナリスト・写真家のロバート・F・バージェスが書いた『海底の1万2000年──水中考古学物語』（1991年、心交社）だ。

そこに「フロリダにある『ウォーム・ミネラル・スプリングス』という鉱泉から1万年前の人間の頭蓋骨と脳が発見された。この鉱泉の水底には酸素が存在せず、水温もほぼ一定だという。有機物の保存に絶好の環境で、腐敗がほとんど起こらず保存されていたのだ」と書かれていたのを読み、衝撃が走った。そんなことがあるのか！

すぐに様々な図書館から水中考古学関連の学術書を取り寄せ、夢中になって読み漁った。日本語で出版されている書物を読み終えた後は、英語の本もできるだけ取り寄せ、文章はさっぱり分からないが、そこに載っている写真だけを眺める日々が数カ月続いた。地中海やカリブ海をはじめ、世界中の美しい海の中で撮られた水中遺跡や発掘の様子を捉えた写真。気づいた時にはもう夢中だった。

ある時、写真には必ずと言っていいほど、「テキサスA&M大学」のクレジットがあることに気づいた。世界中で発掘する精鋭集団。こんな人達もいるのだなぁ、すごいなぁ、と写真を眺めていた。

そんな中で井上たかひこさんの『水中考古学への招待　海底からのメッセージ』（1998年、成山堂書店）という本を見つけた。

この本は、学術書というより井上さんの自伝だが、読んでみて驚いた。井上さんは、40歳を過ぎてから脱サラし、あのテキサスA&M大学に留学、英語は苦手だったが大学院で修士号を修めたと書いてあった。私は英語が苦手どころか、中学・高校時代、英語の試験で20点以上を取ったことがなかった。それでも井上さんの本を読み、アメリカへの留学が全くの夢物語ではないと知った。

法政大学の硬式野球部は、練習に参加できなければ退部しなければならない。しかし4年生になれば、プロ野球か、社会人野球を目指す選手以外は就職活動のために練習に出ないでもよいという規則がある。私も3年生の終わりまではバッティングピッチャーとして野球に専念し、4年生になり、監督に相談して練習を休ませてもらうことになった。こうして、13年間の野球選手としての人生が、事実上終わった。

とにかく留学しよう!

この頃には、自分の中での新たな将来の進路は決まっていた。

「アメリカで水中考古学を学んでみたい!」

行きたい大学も決まっている。テキサスA&M大学だ。

両親にそう伝えた時は2人とも驚いた。というよりも、私の口から出た言葉の意図が理解できないようだった。

確かにこの時の私の英語力は皆無だったし、考古学の知識も大学の授業でいくつか受けていた程度であった。身の程知らずも甚だしい。ただ2人ともすぐに賛成してくれた。

今、私が当時の自分と同じ状態の大学生から相談を受けたら、「考え直せ！」と言うだろう。まずは、日本でしっかりと英語と考古学の基礎知識を固め準備をするのが王道である。アメリカで大学院を卒業した頃に、日本で大学野球部のチームメイトと飲んだ。彼は私から「留学したい」と聞いた時、「正直、頭がおかしくなったのではと思った」そうだ。小学・中学時代に一緒に野球に打ち込んでいた同級生に至っては、未だに私が考古学者になったことを信じていない。「アメリカの大学院に留学したい」という大学時代の私の決断は、大真面目に話していた当人以外を相当困惑させていたことを、後々知ることとなった。

しかし、何はともあれまずは英語を話せるようにならなければ、スタートラインには立てない。

テキサスA&M大学には留学生用の語学学校が併設されており、希望すれば外部からも入学できる制度になっていた。

せっかく英語を学ぶのであったら、この語学学校に通って、憧れの大学院を見てみたい、同じ空気を吸ってみたい！

そう考えた私は、英語が得意な友人にアメリカの語学学校への申し込み作業を手伝ってもらい、学生ビザを受け取ることができた。

大学を卒業して、アルバイトをしながら数カ月過ごし、スーツケース1つに夢を詰め込み、両親に見送られてテキサスに旅立った。

いざアメリカへ

希望を胸にテキサス最大の街ヒューストンに到着したのは、2006年の8月の半ばを少し過ぎた頃だった。夜に到着した私は、ダウンタウン近くのホテルに宿を取り、翌朝7時出発の大学があるカレッジステーション行のバスを待つことにした。

朝、ホテルのロビーの受付係にバスターミナルまでの地図を見せ、タクシーをなんとか呼んでもらった。しかし1時間経ってもタクシーは来ない。8時ごろにやっとバスステーションに到着した私は、朝7時発の1日1本しかないバスを逃してしまった。

一刻でも早く、憧れのテキサスA&M大学のある街に行きたい。そこで少しお金がもったいなかったが、タクシーで向かうことにした。沢山いる運転手の中から、一番安い100ドルで乗せてくれるという運転手を見つけ出発する。1時間後にこの運転手にぼったくられることになるとはつゆ知らず。

結局「帰りのガソリン代も払え」とも言われ、300ドルもふんだくられた。

それでも、ようやく夢見たあのテキサスA&M大学のキャンパスに到着したのである。

英語が全く分からない！

「テキサスA&M大学」のA&MとはAgricultural and Mechanicalの略称で、日本風に言えば「テキサス農工大」である。学生数6万人以上の巨大な総合大学で、敷地内には学生寮をはじめ、ゴルフ場や飛行場、核融合実験炉まであり、日本人の感覚からは規格外の大きさの学園都市だ。

ぼったくられた悔しさはすっかり忘れ、真夏で気温が40度にもなる灼熱の中、キャンパス内に併設された語学学校のオフィスを見つけ出した。クーラーの効いた室内に入ると、受付のアメリカ人女性が話しかけてくる。私には彼女が何を言っているのかが、さっぱり分からなかった。

しかし運がいいことにその日、少し日本語の話せる韓国人の男性が入学の手続きにやってきていた。受付の女性に加え、何人もの講師が必死になって私とコミュニケーションをとろうとしている奇妙な様子を見て助けを申し出てくれた。彼の通訳によって、ようやく私に住む場所がないこと、知り合いが誰もいないことが彼女達に伝わった。後から聞いた話によると、私のように住む所さえ決めずに渡米してくる学生は前代未聞だと、職員内で笑いの種になったそうだ。

到着初日にマクドナルドで心が折れる

何もできない私の代わりに、語学学校の受付の女性が入学の手続きやアパートの手続きをしてくれた。しかし入居できるのは、授業が始まるのと同じく1週間後。それまでは、語学学校の先生が手配してくれた大学近くの安いモーテルに滞在することになった。

モーテルに着いた頃には夜の6時を過ぎていた。前日からほとんど何も口にしていなかった私は、考えられないほど空腹だった。

歩いて行ける距離にマクドナルドがあり、そこで食べることにした。店内は夕食時でとても混雑している。私が注文する番になり、体格の良い女性店員に何か尋ねられたが、彼女が何を言っているかは全然理解できない。

実は、アメリカのマクドナルドではハンバーガー単品のことを「サンドウィッチ」、セットメニューのことを「ミール」という。そんなことは全く知らない私は「バーガーセットプリーズ」と完全な日本人発音の英語で懇願していたのである。

徐々に店員の女性のいら立ちが顔に見え始め、繁盛している店内で私の後ろの注文待ちの列は、みるみる長くなっていった。


私の心は、完全に折れてしまった。


恥ずかしさと申し訳なさで、何も注文することなく店を飛び出す。その後、気を取り直して、近くにあったスーパーに行って軽食を買おうとした。ただアメリカのスーパーではレジ係が「Did you find everything, Okay?」などと、必ず気さくに話しかけてくれるのだ。私は「ハウアーユー？」と話しかけられたら「アイムファイン！　サンキュー」と返す一連の流れしか英語の挨拶を知らなかった。

レジで店員さんに話しかけられた私は、怖くなって何も買わずにまたしても逃げ出してしまった。

語学学校の授業の始まるまでの1週間、モーテルの受付の横にあった小さなスナックとジュースの自動販売機だけで命を繋ぐことになった。部屋と自動販売機を行き来しながら「なんで自分は、こんな所に何も考えずに来てしまったのか?」と、情けなさと後悔で泣きながら過ごした。

英語学習の成果は……

しかし、留学生活も半年が過ぎ、振り分けられた一番下のクラスの留学生相手なら苦労なく会話ができるようになっていた。

成長した自分の英語力を試してやろうと、私は留学生向けの英語試験であるTOEFLを受けることにした。半年前まではチンプンカンプンだった英語も何となく理解できるようになり、英語力が相当伸びている自信があったのだ。

TOEFLは読解、聞き取り、作文、会話と4つの分野にわかれている。それぞれが30点満点で、合計120点満点だ。成績が届き、スコアを確認してみると……。

読解:1点

目を疑った。TOEFLは全て選択問題だ。適当に答えても各セクションで5点は取れそうなものなのに、1点とは……。他の分野のスコアも散々で、合計でも30点かそこらだった。このままだと、いつまでたっても大学院入学など果たせない。徐々に近づいていたと思っていた水中考古学ははるか先にあった。

次の日から、語学学校での授業後、深夜3時まで図書館で勉強する毎日が始まった。今思えばこの時が人生で初めての〝受験勉強〟だった。

絶望の授業初日

そんなこんなで2008年、なんとかTOEFLと、大学院を目指すアメリカ人も受ける共通試験であるGREの最低限の成績をクリアし、大学院にNon-Degree Seekingという制度で仮入学することができた。大学院の授業1つと、大学4年生のクラス2つの全てでB（80点）以上の成績を1年間で残せば、正式な入学が許される。逆に成績が達しなかったら入学をあきらめ、帰国しなければならないというものだった。前年に入学した留学生が、わずか数週間で勉強についていくことができず帰国してしまったこともあり、私も1年間は様子見をされることになったのである。

何にせよ、あのテキサスA＆M大学の船舶考古学プログラムで勉強をすることができる！私は天にも昇る気分だった。このためにテキサスまでやってきて、毎日英語を勉強したのだ！

受講することになったのは、古代から中世中期までのヨーロッパの造船の歴史を学ぶ「船舶考古学概論」のクラスだった。私以外の学生は10人、全員がアメリカ人だ。

船舶考古学プログラムの教授が教室に入ってきて、75分間の授業が始まった。最初の数分で、私の希望は絶望に変わった。

教授が発する単語が、何1つ理解できない。

パワーポイントに映した写真や図について、教授はひたすら説明をしていく。それを必死にノートに取るアメリカ人の大学院生達。時に彼らは手を挙げ質問をし、教授が真剣な顔で更なる説明を加えていく。

しかし私には、彼らの話している英語と授業内容が全く理解できなかった。理解率0％である。血の気がスーーーーッと引いていった。

しっかりと考えれば分かるが、私はたった2年間英語を勉強しただけだったのである（中学校から大学まで何をしていたのかは聞かないでほしい)。日常生活の英語はそれなりにこなせるようになり、ある程度テレビ番組などの内容も頭に入るようになっていた。ただ現実にはテキサスA&M大学の大学院の船舶考古学プログラムは、世界屈指の専門的な内容だ。高度な用語がバンバン飛び交うが、もちろん外国人の私のためにゆっくりと話してくれるわけでも、参考用の資料が配られるわけでもなかった。

私はパニック状態となった。

テキサスA&M大学の最も歴史あるホール

「どうしよう！ どうしよう！ どうしよう！ どうしよう！」

理解できるのは、映し出されている写真や図だけだった。

文字や教授の話す内容を理解するのは諦め、1分毎ぐらいに変わるスクリーンの情報を必死にノートに書き写した。授業が終わると船舶考古学プログラムに併設されている小さな図書室に走り込んで、数十分前に書きなぐったスケッチと同じ写真や図のある本を探し出し、その図のことを説明しているページを、電子辞書を使いながら少しずつ読む。2回目の授業からは教授に許可を取って授業内容を録音し、とにかく、それを毎回続けた。75分のクラスの内容ノートをまとめるのに、毎回15〜20時間はかかったのを覚えている。

しかしもうやるしかなかった。毎週3日のペースで徹夜して勉強することとなった。

猛勉強の甲斐もあり、仮入学の1年間の2セメスターの授業でギリギリ平均B以上を取ることができ、2009年、正式に船舶考古学プログラムに修士課程の大学院生として入学することができた。これで、ようやく目標のスタートラインに立てた。

パズルのように船を解き明かす

その後の大学院での7年間（修士3年、博士4年）は本当に楽しいものだった。課題や試験は大変だったが、私にとってはゲームのレベル上げのようなもので、各学期が終わる度に、その学期で得ることのできた自分の知識量に驚かされた。

しかも学問とは不思議なもので、新しいことを知れば知るほど、自分がいかに無知かを思い知らされる。「もっと知りたい！」と次から次へとあふれ出す欲求を共有する教員や同級生がそこにおり、退屈など全くしなかった。この7年間は私の人生の中でも2番目に幸せな日々だった。1番はもちろん水中考古学者になった現在である！

そんな7年間の中でも私にとっては特別な出会いが2つあった。1人目は第2章のクロアチアでのグナリッチプロジェクトに私を連れて行ってくれたカストロ教授だ。

私がカストロ教授と親しくなったのは、大学院の1年目が終わった後の夏休みだ。端的に言えば、私が彼にむりやり〝弟子入り〟をしたのだ。

大学院の授業の中で特に私の心を鷲掴みにしたのが、カストロ教授の受け持っていた「沈没船の復元再構築」という授業だった。

復元再構築とは、簡単に話すと、沈没船遺跡で崩れた状態で発見された船から、発掘によって必要な情報を取り出し、それを基に船の姿（船型）を復元して、その船の積載量や帆走能力を導き出す方法論である。「船」という乗り物に込められた先人達の技術を、パズルのピースを合わせていくように解き明かすのが醍醐味だ。当時の私は手探りだったが、様々な先行研究や、発掘の文献や歴史的な資料から断片的に情報を集め、組み合わせていく作業がたまらなく楽しかった。

「もっと勉強したい！」

私は気持ちが抑えられなくなっていった。

研究室にむりやり転がりこむ

テキサスA&M大学の船舶考古学プログラムには当時7人の教授がいて、それぞれが専門分野を持っていた。

「先史時代の船」「古代地中海の船」「中世ヨーロッパの船」「大航海時代の船」「アメリカ大陸の船」を専門とする教授が1人ずつ、それに加え「保存処理」の教授が2人おり、各大学院生は2年目からやりたい分野を選び、担当教員の下で専門的に「船の歴史」を学んでいく。

それぞれの教授に対し、1〜2人の大学院生が研究助手（Research Assistant）として働きながら、研究技術を吸収していた。研究助手は成績上位の学生の中から教授の独断で選ばれる。英語が苦手だった大学院入学当時の私は、どうあがいても同級生達より成績が劣っており、このままでは教授の助手になれる可能性は極めて低いと分かっていた。

そこで奇策に打って出た。

春学期も終わり、夏休みになったその初日……。

「たのもーーーー!!!」

実際にはそんな声は上げていないが、それくらいの気合で教授の研究室を訪ねて、「掃除でもなんでもするから、復元再構築をもっと教えてくれないか」と頼み込んだ。カストロ教授は笑いながら快く受け入れてくれた。

こんな弟子入りをする学生はそれまでいなかったが、英語が分からないはずの私が教授の講義を楽しそうに受け、期末課題の時期には研究室に何日も泊まり込んでいたのが印象に残っていたので受け入れてくれたと後になって教えてくれた。私は大学院時代の6年間、教授にお世話になった。

カストロ教授が「沈没船の復元再構築」の講義を毎年新入生に必須科目として教えていたのもラッキーだった。忙しい教授の代わりに私がこのクラスの課題の採点のほとんどを任されるようになったのである。教授の代理として、新入生達からアドバイスを求められるようにもなった。そのため、教授のアシスタントをしていた6年間は、学生の課題を通じ、毎年7〜10隻の復元再構築プロジェクトに関わることができたのだ。

助手になって5年ほど経ったある日、文献に載っているフレームの図を見ていたら、その沈没船の全体像が頭の中で想像できてしまったことに気づいた。この時に脳にスイッチが入ったのだろう、その後は水中発掘でもフレームの1本が発掘されたら、そこから大体の船の位置と形が分かるようになっていた。これが私の水中考古学者としての土台となっており、この能力のおかげで、様々な沈没船の発掘現場で活躍できるようになったのだ。

ロドリゴとの出会い

大学院ではもう1つ大切な出会いがあった。ブラジル人留学生のロドリゴだ。クロアチアでキール発見の立役者となった、私の相棒である。

彼は私よりも9歳年上のブラジル人だ。優秀な学生に支払われるフルブライト奨学金を勝ち取り、私が修士課程に入った1年後の２０１０年に博士課程の学生として入ってきた。ロドリゴはいつでもニコニコ、発掘現場の全てを楽しみながら、しっかりと成果も出していた。

彼と出会うまで、私は勉強方法に効率は求めながらも、どこかで「成功するためには努力しなければならない。今努力をすればその分だけ将来が明るくなる」と考えていた。

いつだったかは覚えていないが（おそらく彼とお酒を飲んでいた時だろう）、そんなことを彼に話した。すると彼は「しっかりやれば、努力をしながらも楽しむことはできるはずだよ。どちらか一方だけを選択するものではないし、なにより今日を楽しみながらやらないと損だよ」と言った。

彼の生き方を聞いた後、私はただひたすら努力するのではなく、なるべくその時その瞬間を楽しむように心掛けた。心掛けたというよりは「心を解放した」といった方がいいのかもしれない。

この本を書いている2020年現在、私はいろいろな国の現場で働かせていただけるようになっている。私の依頼主は各国の政府や大学で働く著名な水中考古学者達なのだが、皆から言われるのが、「君が誰よりも楽しそうに仕事をしているから、見ていてこっちまで楽しくなる」ということだ。

ただ、私は無理に作り笑顔をしているわけではなく、ロドリゴのように全力で楽しむようにしているだけだ。水中考古学は何よりも楽しい！　だから単純に楽しくなっているのだ。

最新技術「フォトグラメトリ」

そうして大学院生活は過ぎていき、2015年春学期、私は博士論文を書き進めていた。

テーマは「16世紀・17世紀初頭のポルトガル船のデジタルモデル復元」。

カストロ教授のもとで大航海時代のポルトガル船の造船史を学んでいた私は、当時の設計図、発掘された沈没船遺跡、公文書館資料、船乗り達の記述などからできるだけ正確に当時の船の構造を考察し、3Dデジタルモデルとして復元し、そこからソフトウェアで帆走能力などを割り出そうとしていた。5月頃の提出を目指し、1月の時点で3割方書き終えていた。

しかし、ここで私は1つの決断をした。博士論文のテーマ変更である。「フォトグラメトリと復元再構築の方法論」を提出しようと考えたのだ。これは掟破りの行動なのだが、そのことについて話す前に、なぜ私がそうしようと思ったのかをお伝えしたい。

きっかけは、やはり第2章のグナリッチプロジェクトだ。

2014年3月頃、私はカストロ教授から呼び出され「今年の夏のグナリッチプロジェクトでフォトグラメトリを使い、沈没船の3Dモデルを作成してほしい」と言われた。「フォトグラメトリ」とは、画像データを光学スキャンデータとして応用し、デジタル3Dモデルを構築する技術のことだ。1990年代、ロボット工学者らの間で使われ始めた「コンピューターヴィジョン」という〝映像やデジタル写真から空間認識するアルゴリズム〟を応用したものである。

当初は３Ｄスキャンの精度が低かったが、２０１０年代に入り、低価格で精度の良いフォトグラメトリ専門のソフトウェアがいくつか発売される。それにいち早く注目し、実際に発掘現場で使い始めたのが、考古学の中でも、我々水中考古学者であった。

理由は簡単だ。レーザースキャナーなど、陸上の発掘調査で使用されていた機材が、水中で使えないからである。また、水中での活動時間の制限や、透明度の問題から遺跡全体が目視できない水中考古学者達にとって、３Ｄデジタルモデルで遺跡全体をパソコン上で時間無制限で観察できるのも魅力的だ。ただ、私が教授から依頼された２０１４年頃は「ソフトウェアの精度が低く、考古学研究には使えない」というのが、まだまだ主流の考え方だった。

大学院に入学して以来、私は自分の沈没船復元再構築研究のために幾つかの３Ｄモデルソフトウェアを独学で学んでいたので、比較的コンピューターに強い学生と思われていた。それで、カストロ教授は私を適任だと思ったのであろう。

その日から、試行錯誤の日々が始まった。とりあえずフォトグラメトリソフトウェアの説明書を隅から隅まで読み、システムを理解した。練習がてら様々な対象物の３Ｄモデルを作成し、１カ月ほど経つと、精度の良い３Ｄモデルを作成することができるようになった。

私の中である考えが浮かぶ。

「フォトグラメトリを、水中発掘中の現場の記録作業にもっと活用できないだろうか？　それに、観察用だけではなく、精度の良い研究分析用のデータもフォトグラメトリから生成してしまおうではないか」

それまでのフォトグラメトリは単に水中遺跡をパソコン上で観察するためだけに使用されてきた。そこからもう一歩踏み込ませた活用法はないか、と考えたのだ。

考古学調査における新たな可能性

実際に２０１４年夏のグナリッチ沈没船のプロジェクトで私が使用した方法は、こんなものだった。

1．水中遺跡全体の座標データを最初に構築する。３Ｄモデルも、遺跡全体にではなく、発掘作業が進められている箇所ごとに個別で作成できるようにした。その上で、各発掘箇所の３Ｄモデルをいつでも組み合わせられる状態に管理する。これによって、各３Ｄモデルの範囲が狭くなり、処理するデータ量が減る。必要であれば毎日の発掘箇所のフォトグラメトリが高い精度のまま可能になった。

2. 作成された各3Dモデルから高画質のオルソフォト（歪みのない高画質モザイク写真）を作成し、それをGISソフトウェア（GISとは地理情報システムのこと。地図そのものに、様々な情報を紐づけられる）に書き出した。作業ダイバーの手作業によって毎日発掘された遺物の出土位置情報をこのGISソフトウェア上で、位置データと統合して管理する。

3. GISで管理されたオルソフォトと出土位置情報を使って実測図を作成。それをプラスチック製の紙に印刷して、作業ダイバーが水中に持ち運びできるようにした。これによって作業ダイバーは遺跡の出土位置や船体木材に使用されている釘などの位置を、実測図に直接書き込めるため、水中での作業時間の効率化が図れた。さらに、その日に取った情報を、発掘調査をした日の夜にGISに反映することで、翌日、作業ダイバーは最新の情報を水中発掘現場に持っていけるようになった。

4. 3Dモデルから各船体のフレームの断面図を作成。実測図と同様に断面図も作業ダイバーに持たせ、釘や継ぎ目などの位置を直接書き込んでもらった。これらの情報もGISソフトウェア上で統合管理。

5. 数日ごとに遺跡全体の実測図も作成し、それをもとにチーム全体の遺跡発掘のプランを立てられるようにした。

もともとは作業中にいつも感じていた個人的な不満を解消するために構築したにすぎない使用方法だった。しかし、現場で「コウタ、これはすごいよ！」と、とても喜ばれた。

博士論文のテーマはこれしかない！

「この方法論はあらゆる水中発掘の現場で役に立つ！」と感じた私は、学会で「水中沈没船遺跡の発掘研究の方法論」として発表することにした。Society for Historical Archaeologyという学術機関が毎年1月に開催するもので、アメリカ中の水中考古学関係者が一堂に会する学会だ。大学院生も比較的簡単に発表することができ、すでにこの学会で何度も発表していた私は、軽い気持ちで発表をしてみた。

すると、参加者からかなり好評だった。発表直後の質疑応答だけでは全ての質問に対応することは不可能で、その後の休憩中にも私の所に列ができるほどであった。学会が終わって新学期が始まった後もアメリカ各地、海を飛び越えて評判を聞いたヨーロッパ諸国から質問のメールが届くことになった。

「このままポルトガル船の研究を博士論文として書き上げるよりも、フォトグラメトリを使った沈没船独自の発掘研究のやり方を方法論としてまとめた方が、多くの人に読んでもらえるのではないか」

数日間考え抜いた私は、カストロ教授にその決断を話すことにした。

教授に「2人きりで話せないか？」と頼み、いつも開いている研究室ドアとオフィスの鍵を閉めてもらった。誰にも邪魔はされたくなかった。

「博士論文のテーマを変えて、一から書き直そうと思います」

これにはカストロ教授もびっくりしていた。論文を途中まで書き進めていた、というのもあるが、それ以前に、博士論文の提出に至るまでのプロセスも絡んでくる。

アメリカの大学院では、博士論文を書き始める前に、適性試験のようなものを受ける。「Preliminary Exam（日本語では予備試験）」と呼ばれ、この試験をパスした後は、論文テーマを変えることは基本的に許されない。私はすでに前年にこの試験に合格していたのだ。

アメリカの特に文系学部の大学院生は、筆頭の担当教授を1人、他にもそのテーマに精通している担当教授を2人、最後に少し分野の違う分野の学部の教授1人の合計4人の担当教授を選ばなければならない。私の場合は、研究助手を務めていたカストロ教授が筆頭担当教授で、他の担当教授も必要に応じて指導してくれる。

授業単位を取り終えた博士課程の学生は、この Preliminary Exam を受けなくてはいけない。

要はその学生が、本格的に独自の研究テーマを進める前に、担当教授達が「本当にこの学生に研究を進めるだけの能力があるのか？」を査定するのだ。通常は5日間掛かる。最初の4日間は各担当教授が1日ずつ受け持ち、朝の9時に論述問題を1つ課す。学生は午後5時に解答を提出する。1日8時間、それを4日間連続で繰り返すのだ。

5日目は提出した解答を基に4人の担当教授と面接形式の質疑応答を2〜3時間ほど行う。

私の場合は「16世紀から17世紀頃のポルトガルとイギリスの船の設計の違いを答えよ」「15〜16世紀に大航海時代が可能になった要因を社会的背景・歴史的背景、それと造船技術の発達の点から答えよ」「テキサス州から見つかった16世紀の沈没船サン・エスティバンの保存処理された船体の一部から、船全体の特徴を考察せよ」「デジタルデータ、3DモデルやCGアニメーションが考古学に与える意義を答えよ」という質問を受けた。

当日になるまで細かい質問内容は明かされないし、この試験を2回失格になったら退学というプレッシャーもあって、学生達は半年ほどかけて、担当教授の質問しそうな分野を予想し、関連する文献や先行研究について読み漁り、入念な準備をして臨む。晴れて合格すると博士課程の大学院生は Ph. D. student から Ph. D. candidate というように肩書が変わる。Ph.D. candidate は通称ＡＢＤとも呼ばれる。All But Dissertation、つまり「授業は取り終えて後は博士論文のみ」という状態のことである。

学会での発表を終えた２０１５年当時の私は、既にＡＢＤの状態だったのだ。しかも論文執筆もこれからラストスパートという段階だった。

そんな中、今までの研究と書いてきた論文を全て投げ出し、新しいテーマで書き直すというのだ。時間もないし、何よりも「ポルトガル船の研究」で予備試験をパスしている。カストロ教授が驚いたのは無理もなかった。

正直、私もこの申し出は半々の確率で却下される覚悟はしていた。

しかし新しい論文のテーマが私の得意分野である「沈没船復元再構築」を軸に、フォトグラメトリと組み合わせるという斬新なもので、何よりも私にテーマを変えたいという強い意志があったこともあり、当初のスケジュール通り「5月までに全部書き終える」ということを条件にカストロ教授から許可してもらえた。残り3人の担当教授に対してもカストロ教授が事情を説明し了解を取ってくれることになった。

就職難にぶち当たる

カストロ教授との約束通り、私は無事に「フォトグラメトリと復元再構築の方法論」で博士論文を書き終えた。

しかし、その後、少し難しい状況に立たされていた。もともと博士研究員としてテキサスA&M大学に残ることを打診されていた私は、その研究費を取ることに苦労していたのである。船舶考古学プログラムには前もって用意された博士研究員制度は無かったため、しっかりと自分の研究費（つまり1年間分の自身の給料）である約3万ドル（約330万円）を用意しなければ、ビザを申請する許可自体が大学から下りないのだ。これは予算がないのに卒業後も滞在する外国人研究員を過剰に出さないための措置であった。

しかし研究費を大学以外の外部の研究機関や基金に申請して、その合否が出るまでにはアメリカでも半年以上の時間がかかる。私も頼みの綱にしていた大きな研究費申請が通らず、それが分かったのが卒業予定の間際であった。

アメリカ人の学生は私のような状況になった時、毎学期1単位分の授業料だけを払い、学外で働きながら何年も卒業を延ばすという技を活用することができたが、留学生の私にはそれが許されない。もし私が卒業を1年遅らせたとしても、アメリカの高い学費（1年で160万円ほど）をフルで払わなければならない。そんなお金は無かったので、とりあえず卒業して日本に帰り、バイトでもしながら日本から就活をするしかないかなと考えていた。

そんな時にカストロ教授以外の船舶考古学プログラムの教授3人から会議室に呼び出された。

「何かやらかしたか……？」

戦々恐々としながら、部屋に入った私に告げられたのは、望外の良い知らせだった。学部から給料を出すことは制度上不可能だが、カストロ教授を含めた4人の教授が、私の卒業を1年間延ばす代わり、それぞれの研究費（いわばポケットマネー）から私の学費と給料を払ってくれるというのだ。私のためにそこまでしてくれるなんて……。

こうして私は卒業を2016年の5月まで延期することとなった。授業も博士論文も書き終えた私は、各研究室の学生にフォトグラメトリの技術を教えたり、私の給料を払ってくれた教授たちの研究の手伝いなどはしていたが、比較的のんびりとした研究ライフを満喫していた。

そんな中、２０１５年9月に3年に1回開催される大きな国際学会がポーランドで開催された。International Symposium on Boat and Ship Archaeology（ＩＳＢＳＡ）という「造船史と船舶考古学」に特化した学会で、世界中から船舶考古学者が集まってくる。通常の学会は小さなテーマごとに部屋を振り分け、同時進行でいくつもの発表が行われ、参加者は聴講したいセッションを選んで部屋を移動し聴講する。しかしＩＳＢＳＡにはセッションが1つしかない。つまり大会場に２００〜３００人が集まり、全員で1つの発表を聞くのだ。この学会には大御所船舶考古学者も多く参加し、数ある水中考古学関連の中でももっとも権威のある学会として知られている。

博士論文を発表テーマとして申し込んだら、なんと審査に通ってしまった。

２０１５年の開催場所はポーランド北部の港町グダンスクの海事博物館だった。現地に到着した私は数人のヨーロッパの友人達と再会し、和やかな気持ちで学会の初日を迎えた。５日間の開催期間で私の発表は３日目だった。各発表は15分のプレゼンテーションと、その後の質疑応答５分という構成だ。

私はフォトグラメトリを使用した方法論に生意気にも「最新の技術を応用して沈没船復元再構築の理論を進化させた新しい方法論」という大層な謳(うた)い文句をつけていた。

「沈没船復元再構築」そのものは、この後で紹介する伝説の船舶考古学者Ｊ・リチャード・ステッフィー氏が考案したものだ。レジェンドが生み出した方法論を「進化させた」と言っているのだ。よくよく考えれば、おこがましいにも程がある。どうしてそんな大見得を切ってしまったのか……と後悔もしたが、正直なところ緊張しすぎて発表中の記憶はそんなに残っていない。

15分間の私の発表が終わり、質疑応答が始まった。20近く挙がった手の中で、会場の後方に座っているある壮年の男性にマイクが渡った。普通はその場で質問するものだ。だが、その人は立ち上がり、なぜか私の方まで歩いてくる。

彼の顔が見えたときに私は悟った。

「終わった……」

マイクを持って歩いてきた紳士はフレッド・ホッカー博士だった。現在はスウェーデンのヴァーサ号博物館で研究主任をしているが、私が入学するずっと以前にテキサスA&M大学の教授を務めており、しかも私が専門とする沈没船復元再構築研究室の室長だった人物だ（その後任が私の師匠であるカストロ教授だ。しかし、2人はとても仲が悪い）。世界中の船船考古学者から尊敬されている大研究者だ。大学でもとても学生に厳しい教授だったらしい。実際に彼を頼って夏の間ヴァーサ号博物館でインターンをした私の同級生も、研究者のプライドをずたずたに傷つけられて帰ってきた。

そんな彼が、マイクを持ってこちらに向かってくる。殺される！ 私は一刻も早く、その場から逃げ出したかった。

ホッカー博士は会場全体から見える位置で立ち止まり話し始めた。

「これまでも、３Ｄスキャンやフォトグラメトリを使用した研究事例はたくさん見てきたし、私自身も多くのデジタルスキャンの専門家と仕事をしてきた。彼らが持ってきたデータは、見栄えはいいが研究の役には立たなかった。でも今この発表を聞いて初めて、私はこのデジタルツールはしっかりと〝学術研究〟に使うことができるという確信を得た。こんなことは、はじめてだ！」

これ以上ない賛辞だった。

会場は一瞬静まり返り、その後、ざわざわしはじめた。そして拍手に変わった。私はたった今起きたことに混乱しすぎて、状況が全く理解できなかった。

戸惑っているところに司会が次の質問の有無を会場に聞いた。さっきまで20人ぐらいが手を挙げていたのが、3人程と少なくなっていた。無理もない。大御所ホッカー博士があのような発言をした後では、誰もフォトグラメトリについて否定的なコメントをできるはずがなかった。

と、会場の一番前に座っていた研究者からこんな質問が飛んできた。

「フォトグラメトリを使って、どこまで船の構造が分かるのですか?」

とても抽象的だ。しかし、私にはこの質問に対する明確な答えがあった。

「この技術を使っても、構造は何も分かりません。デジタルツールはどんなに優れていても、あくまで道具でしかなく、海底で露出している遺跡表面のデジタルコピーを作成しているだけです。例えば古代船の造船工程を理解するには、今までと同じように、しっかりと外板が見える所まで掘るしかありません。船の構造と発掘経験のある考古学者が使わないと、デジタルツールは役に立ちません。ただ使いこなせば、これまで以上に素晴らしい研究ができるはずです」

私は経験したことのないほどの拍手喝采を受けた。

その後は夢のような数日だった。すれ違う研究者には褒めてもらい、今まで知らなかった研究者達から飲みに誘われて、沢山の議論を交わした。学会の最終日には閉会の総括として、代表者が私を名指しで「彼の発表を聞いて、水中考古学の新たな時代が始まったという確信を得た」と言ってくれた。そして、まだ大学院生だった私のもとに世界の研究機関から共同での発掘研究の依頼が来るようになった。一気に1年先までの予定が埋まってしまった。

道がないなら自分で作る

「もっといろいろな視点から研究したい！」そんな感情が私の中で芽生えていた。

沈没船復元再構築は、ジグソーパズルを組み立てる作業に似ている。完成図を想像できなければ、上手く組み立てることはできない。似たようなパズルを組み立てたことがあるという経験、つまり実際に自分で発掘して、出てきた木材の形状を見る経験が重要になる。そのためできるだけ多くの沈没船遺跡の発掘研究に関わりたい。

10年以上前、日本で水中考古学の本を見ていた頃「いつかここに写っている遺跡の全てに行きたいな」と思った。その思いを叶えるためにテキサスA&M大学に来た。

しかし実際に入ってみると「世界中の遺跡を研究する水中考古学者」は存在しなかった。通常「造船史を研究する水中考古学者」は研究テーマのある国で働く。例えばスペイン船の研究をしている学者はスペイン国内で働く。これが「アメリカのフロリダ州で沈んだスペイン船の調査を行う」という場合は、発掘研究はアメリカ、公文書や先行事例の調査などはスペインというように2カ国を股にかけて働くことが多い。教授クラスになると調査依頼が他国から来ることもあり、5〜6カ国を飛び回る研究者もいる。

それでも一生のうちに関わる沈没船は10〜20隻だけだ。

そのような当然といえば当然の実情を知り、「世界中の遺跡で研究をしたい」という思いはいつの間にか薄れていた。

そこへ世界中の研究機関から依頼がきたのだ。もし自分が1年間で10以上の沈没船の発掘研究に関わることができたら、研究者としてどれだけ幸せだろうか？　１００隻の沈没船の発掘研究をした後、自分はどんな船舶考古学研究者になっているのであろうか？　そんな想像をするようになってしまった。

「何が正解か？」

さすがにこの時は私も悩んだ。

そんな時に沈没船復元再構築の理論を打ち立てたJ・リチャード・ステッフィー氏の評伝が出版された（『The Man Who Thought like a Ship』２０１２年、未訳）。私はそれを読み、教授が船舶考古学をはじめた経緯を知った。

実は、ステッフィー氏はもともと考古学者でも歴史家でもなかった。小さな町の電気工事の会社を父親から受け継いでいた彼は、時間があれば古代船の模型を自作する趣味に情熱を燃やしていた。１９６３年、偶然手に取った雑誌で、トルコでいくつもの発掘を成功させ、水中考古学の父と呼ばれるジョージ・バス博士の記事を読んで「水中考古学」という分野を知ったのだ。彼はいてもたってもいられなくなりアメリカに一時帰国していたバス博士を訪ね、研究チームに入れてくれないかと直訴した。船の模型をいくつも制作していたステッフィー氏は自分が考え出した「沈没船復元再構築」という沈没船研究の方法論の可能性を確信していたのである。

しかし、バス博士は「そのような方法論は存在しないから就職先は無いよ」と言った。

それに対しステッフィー氏はこう答えたそうだ。

「だったら、自分が沈没船復元再構築の最初の専門家になるだけだ」

そうしてステッフィー氏は電気工事の店を閉めて10代の息子2人を含む家族を引き連れ、キプロスに移住。研究実績を積み重ねた。ステッフィー氏が著した『Wooden Ship Building and the Interpretation of Shipwrecks』（1994年、未訳）は今や世界中の船舶考古学者の教科書となっている。

大学院の卒業式。後ろに立つのがカストロ教授

ステッフィー氏は「道がないなら自分で作る」と決意したのだ。

研究者として最も尊敬する人物が、このように船舶考古学に飛び込んだと知り、私の心の中の靄がやっと晴れた。

それでもカストロ教授に決意を伝える時には、さすがに心が痛んだ。

「テキサスA&M大学に残らず、色んな研

究機関と仕事がしてみたいんです」。

そう伝えた時、教授がとても悲しそうな顔をしたのを今でも忘れられない。

ただ私にはもう1つ提案があった。

「仮に、私が博士研究員としてテキサスA&M大学に残れたとしても、それは数年です。遅かれ早かれ、いずれテキサスを離れなくてはいけません。そうではなくて、毎年数カ月間一緒に研究しましょう。それだったらこれから、ずっと一緒に研究ができます。カストロ教授が引退するまでは必ず毎年、先生のもとに伺います」

カストロ教授はこの提案を受け入れてくれた。

2016年の5月、私はテキサスA&M大学の船舶考古学プログラムで博士号を取り、大学院を卒業した。

水中考古学者になることを夢見て、英語も全く分からないままスーツケース1つだけを引きずり、灼熱のテキサスにやってきた。そこから英語学習に3年、修士に3年、博士に4年で計10年もかかった。ただ胸を張って「水中考古学者」という肩書を名乗れるようになった。もう「水中考古学者」は夢ではない。現実なのだ。

ここから、私の世界中を飛び回る水中考古学者としての生活が始まったのだ。

第4章　エーゲ海から「臭いお宝」を引き上げる

依頼は突然に

大学院を卒業して約半年後の2016年の秋、あるアメリカ人水中考古学者から1通のメールが届いた。

「山舩博士、はじめまして。話したいことがあるんだけど、近いうちにテレビ電話できるかな？」

差出人は、ピーター・キャンベル。イギリスのサウザンプトン大学の博士課程に在籍していた、私と同い年の若手学者だ（2018年に博士課程を修了し、現在は博士となっている）。さっそく話すことになった。軽い挨拶を終えた後、彼は単刀直入に私に尋ねた。

「今、ギリシャ政府と共同で水中調査プロジェクトを行っているんだけど、来年の夏に記録作業の責任者として参加してくれないかな？」

私は興奮をなんとか顔に出さないように、しかし食い気味に答えた。「もちろん！」

テレビ電話が切れると、私は1人、喜びを爆発させた。

「やった！　やった！　やった!!」

なぜ私がここまで歓喜したのか。それはピーターから誘われたプロジェクトが、すでに『ナショナルジオグラフィック』や考古学の雑誌を賑わせ、近年の水中考古学界で最大の注目の的だったからである。

２０１５年、ピーター達はエーゲ海東部に位置するギリシャのフルニ島沿岸部で22隻の沈没船を見つけた。最も古い沈没船は紀元前７００〜紀元前４８０年のもので、最も新しい沈没船は16世紀のものだった。しかも、たった２週間でこれだけの数の船を見つけ出すという快挙だった。

これだけでも大きなニュースだったが、続く２０１６年、同じ地域でさらに23隻の沈没船を発見。２年間で45隻もの沈没船を見つけ出したのだ。

雑誌で見たフルニ島の景色と水中の沈没船遺跡の写真は、どれもとても美しかった。私が日本で英語が分からないまま眺め、「行ってみたい」と思った理想の風景がそこにあった。この美しいプロジェクトに参加できる考古学者が羨ましくて仕方がない！

とはいえ私は、ピーターからメールをもらうまで、自分がこの調査に参加できるとは夢にも思っていなかった。今でこそ、古代船から第二次世界大戦期の水中戦争遺跡関連の仕事まで幅広い依頼が来るようになったが、２０１６年当時、私のもとにくるのは大航海時代（15〜17世紀）とそれ以降の沈没船に関わる水中発掘調査の依頼がほとんどだった。

これは私の構築したフォトグラメトリの方法論（第3章で紹介）が、特に11世紀以降の木造帆船に使い勝手が良かったからである。

11世紀以前の木造船は外板部から先に造り、そこにフィットするようにフレームを当てるという順番で造られていたが、11世紀以降は逆にフレームから先に造られるようになった。この方が、船全体の形状をコントロールできるからだ。そのため、11世紀以降の船はフレームの形状が分かれば、どのような意図と技術を基に当時の人々が船をデザインしたかが分かる（このあたりについては、第5章でも詳しく触れるので、ぜひ読んでほしい）。

私の方法論は沈没船遺跡から各フレームの形状を正確に抜き出すことができるので、特に11世紀以降の船の形状を再現する際に重宝される。だから、古代船も調査対象のこのプロジェクトで、私に依頼が来るとは考えていなかったのだ。

各国で仕事をしながら、フワフワと落ち着かない気持ちで、ギリシャでのプロジェクトの開始を待つことになった。

アイラブ学術調査

こうしたプロジェクトの依頼はどのように舞い込むのか。

私の場合、まず各国の政府の考古学研究機関や博物館、大学の学術調査のみを受けることにしている。理由はただ1つ。しっかりと研究を行える学術調査が楽しいからだ。

「学術調査以外に考古学者がかかわる発掘案件なんてあるの？」と不思議に思う方もいるかもしれないが、世界中の考古学の発掘調査の90％以上が、建設工事などに伴って行われるものなのだ。

通常、建物や高速道路、港などの建設工事を行う前には、建設予定地の事前調査が行われる。その調査で文化遺産が発見された場合、工事で破壊される前に、考古学者達によって緊急の発掘調査が行われる。これが、世界中で行われる発掘のほとんどを占める。保存処理などは行わず、記録を取ったらそこで終わりだ。

それに対し、学術調査の場合、どこかで重要な遺跡が発見されたとの報告が研究機関に届くと、まずその機関が国や地域に関わる重要な遺跡かどうか判断するため、事前調査を行う。その後、政府や財団へ発掘研究費を申請、それが通ると調査チームを発足させる。私への調査参加オファーはこの段階で連絡が来る。プロジェクトのリーダーとなる水中考古学者からの連絡が大半だが、そのほとんどは知り合いか、どこかの学会で会ったことのある考古学者だ。学会では、夜の懇親会で一緒に酒を飲むことが多いので、その時にプロジェクトや研究内容をおおよそ聞いているし、酔った時の人柄も分かるので、安心して依頼を引き受けることができる。

もう1つ多いケースは、ワークショップや発掘プロジェクトで一緒になったことのある水中考古学者からの依頼だ。水中考古学を学べる大学はまだ世界的にも少ない。そのため、各国の第一線で活躍している陸上の考古学者達が、他国で行われている水中発掘プロジェクトに参加し、ノウハウを学ぶケースが多い。そこで知り合いになった考古学者達が、私に依頼してくれるのだ。

例えば、コロンビアで一緒に水中発掘をした水中考古学者からウルグアイでの仕事依頼があり、さらにそのウルグアイでのプロジェクトで一緒になったメキシコの水中考古学者から、依頼をもらったこともある。

もちろん、口コミで私の連絡先を知った学者からもオファーをもらうことがある。例えば、今回のギリシャのビッグ・プロジェクトで私に声をかけてくれたピーターとは、それまで直接の面識はなかったが、共通の知り合いからお互いのことは聞いていた。私に興味を持ってくれた彼が声をかけてくれたわけだ。

このような感じで仕事の依頼を頂けるため、日本人の私が各国の面白そうな学術調査に上手く潜り込めているのである。

水中考古学者の懐事情

気になる報酬だが、これが値段設定でいつも頭を悩ませる。なぜかというと、私は日本よりも遥かに物価が高いフィンランドやデンマークからも、逆に物価のかなり低いコロンビアやクロアチアなどからも依頼を受ける。なので値段設定を均一にできないのだ。

そこで日本やアメリカからの依頼を１００とすると、フィンランドやデンマークからの依頼を１５０〜２００、クロアチアやコロンビアなどの国からは30〜50で引き受け、コスタリカやミクロネシア連邦からなどからは場合によっては10〜20で引き受けることもある。日本やアメリカからの依頼だけを引き受けていれば、生活に困らない程度の報酬を得ることができる。フィンランドやデンマークなどからの依頼を受けた時は万々歳だ。ただこうした先進国の多くは水中考古学がすでに盛んで、なかなか新しい未発掘の沈没船の学術研究はない。

逆にクロアチアやコロンビアなどは報酬こそ低いが、これから研究がスタートする段階の調査が満載なのである。だから、依頼を拒否するという選択肢はない。

それに、通常は飛行機代と食事、宿泊施設を依頼主が報酬とは別に用意してくれる。そのため発掘プロジェクトに参加している最中、私自身の支出は実は少ない。ただ、金銭的余裕ができるとすぐに高額な学術文献を買ってしまうので、自慢ではないが生活はかなりキツキツである。

それでも、私の毎日は楽しい。なぜなら、「少ない給料で働いている」でなく「無料で海外旅行をしつつ、さらに小遣いも貰っている」と考えているからだ。これほどラッキーな職業はないと思っている。

お茶目なトップ研究者

2017年の夏、私は待ちに待ったギリシャに到着した。

アテネの空港にはピーターが迎えに来てくれた。彼とはテレビ電話をした後も、何回も打ち合わせをしていたので、初めて会う感じはしなかった。

私にとって初めてのギリシャだったが、街並みが想像とは異なり、少々面食らった。同じ地中海の古代文明が栄えた地ということで、以前訪れたことのあったイタリアのローマのような中世の面影を残した風景を想像していたが、アテネのビルはコンクリート製で、それでいて古いものが多かった。おそらく多くが作られてから30年以上経っているだろう。それが雑多に立ち並んでいる。

よく考えれば、古代の繁栄の時期を終えていたアテネには、イタリアのような中世後期の街並みは無かったので当たり前である。今のアテネの街並みは、古代の遺跡以外は近代から現代に造られたものなのだ。

ただ、大通りや坂の上など少し見晴らしのいい場所からはアクロポリスにそびえたつパルテノン神殿が見える。遠くから眺めてもやはり壮大だ！　自分がギリシャにいるのだと気付かされる。

ピーターは恐ろしく優秀な研究者である。今回、私が誘われたプロジェクトを率いていることからして、同年代の水中考古学者ではトップであろう。普通だったら誰かに嫉妬されてもおかしくないのだが、気さくでお茶目な「愛されキャラ」のため、彼のことを悪く言う人物を私は知らない。

彼の人柄が分かるエピソードを1つ紹介しよう。2018年に私達が再びフルニ島での調査のためにアテネを訪れた時、島に出発する前日に「明日からは、島でギリシャ料理しか食べられないから、なにか別のものを食べておこう」という話になった。その場にいた6人の満場一致で中華料理店に行ったのに、ピーターだけなぜかフライドチキンを食べ、食中毒になった。

不運ではあるが、どこかとぼけたところがあり、何年経っても笑い種になるような話題を提供してくれる人物なのだ。

ギリシャの精鋭達

ギリシャ到着後の最初の3日間は、アテネ市内でプロジェクトの準備のため奔走した。ピーターと私は、アテネ中を移動し道具を揃えた。空気タンクやダイビング機材、海底から引き上げた遺物が空気に触れて乾燥し潰れてしまうのを防ぐためのプラスチック製の水槽や、長年海水にさらされてこびり付いた海洋生物を取り除くためのエアースクライブという、歯医者が歯垢を取るのに使うような形の道具などを大型トラックに積み込み、フルニ島で使用する小型ボート3隻も、島で使用する車の後ろに取り付けた。

この時のチームの8割はギリシャ人だった。トップは政府の考古学庁で働くコウツォウフラキス博士で、根っからの古代ギリシャ文明専門の考古学者である。

ギリシャ人チームで一番多かったのが保存処理のメンバーで、専門家アンギラスと彼の弟子が６人程参加していた。その他はプロダイバーが６人程、小型ボートのキャプテン３人、水中写真家３人、そしてコウツォウフラキス博士の友人で、ＣＡＤソフトウェアやＧＩＳソフトウェアが使える建築家や芸術家が３人ほど作業ダイバーとして参加した。

一方でピーターの率いるチームは５人と少なく、ピーター以外には、私と、海洋生物学の学位を持っているダイビングインストラクターのディレック、アメリカの大学院の学生のマットと、彼の妻でイギリスで修士課程を修了したばかりのリーの1班のみで、これまでに発見した沈没船遺跡の現状をフォトグラメトリを使用し記録する。このチームの責任者として雇われたのが私だった。私以外の４人はRPM Nautical Foundationというアメリカの水中考古学調査機関に所属していた。

最初から最後までフルニ島のプロジェクトに参加するのは、ここに紹介したうちの15人程で、あとはコウツォウフラキス博士の知り合いの研究者や、ギリシャの大学から考古学を専攻する学生達、プロジェクトに出資した企業の会社員などが代わる代わる1～2週間ごとの短期間でチームに参加することになっていた。メンバーが入れ変わることは珍しくないが、一度に合計20人以上が作業するのは規模としては最大だ。

アンフォラ探しは人海作戦

フルニ島での3週間にわたる水中調査プロジェクトは、メンバーが5つの班に分かれて作業することとなった。ギリシャ人チームは、ダイバー中心の2班と保存処理専門の1班の3つに分かれた。

ダイバー中心の2班は、未調査の海岸線を引き続き潜水調査する。

水中での保存状態は、陸上と比べて良いとは言え古代船の船体の木材部分はとっくに朽ちている。残存している木材も海底に埋まっているため視認できない。そのため、一般的にはワインなどの液体を運ぶために大量に積み込まれる「アンフォラ」という陶器の壺が海底面に残されているのが見つかることがほとんどで、船の木材部分はその下に隠れているのだ。

しかし、アンフォラは測量機器で取ったデータで見ると岩の塊と区別がつかない。つまり、沈没船探しとはアンフォラ探しと言ってもいい。そのため実際にダイバーが列を作りながら潜り、目視で見つけるしかないのだ。

保存処理の専門班は数個のアンフォラを引き上げ、長年水中で保存されていた遺物が空気に触れることによって劣化しないよう直ちに保存処理を行う。アンフォラの形状から、その沈没船がどの時代の船で、どこの地域から荷物を運んでいたのかが分かるため、アンフォラの研究は古代ギリシャや古代ローマの考古学では最も盛んな研究分野の1つである。

私達は全ての準備が完了すると、アテネに隣接するピレウス港に集合し、フルニ島に向けて出港した。フェリー船で9時間の長旅だった。

ヤギが放し飼いの島

フルニ島はエーゲ海東部に浮かぶ、面積が45㎢程、人口が1500人程の島である。沖縄県の久米島や、東京都の三宅島よりも少し小さく、地図で見ると、ギリシャ本土よりもトルコ本土の方がよっぽど近い。島には20人以上いる調査メンバーを収容できる宿がなく、私達は島でただ1つの港町に点在するいくつかの貸アパートに分かれて寝泊まりすることになった。

島到着の翌日は保存処理を行うテント（簡易基地）の設置や、空気タンクや空気を充塡するコンプレッサーの設置、3隻の小型ボートの準備などに明け暮れた。大人数で長期間のプロジェクトをするとなると設置準備も大変である。

夕食前、ようやく少しできた自由時間に、1人でアパートの目の前のビーチを歩いてみた。

なんて美しいのだろう！

建物はエーゲ海の風景イメージそのもので真っ白だ。ビーチの横や通りには、背の低いオリーブの木が茂っている。有名な観光地のサントリーニ島の写真を思い浮かべてもらえば、私がフルニ島で見た景色を想像してもらえるのではないだろうか。

地元の人もとてものんびりと生活していて、町を少し外れた所では道路をヤギが行進している。島内で放し飼いをしているようだ。なんと牧歌的なのだろう。

しかし、忘れてはならない、この美しい海の下には何十もの船が沈んでいるのだ。

夢のような調査現場

フルニ島での調査の初日、沈没船の現場を見るため、私達の班とピーターは海に潜ることにした。

海の色は、紫と蒼が混ざったようなサファイアブルー。私達の後ろには１００ｍ以上の大きな石灰岩の真っ白な崖がそびえ立つ。

船が沈んでいる海岸線は、島の波止場から小型ボートで10分もかからなかった。

準備が整うと他のメンバーを残し、ピーターと私が海に飛び込んだ。水深20mを維持しながら、海岸線に沿って北に300m程泳いでみる。水の中の景色も格別だ！　水中の透明度は40mはあるだろう。水の中にいるというよりは青い世界を飛んでいるような感覚だ。白い崖は、水中では少しなだらかになっていて、水によって濃い蒼に塗りつぶされていた。

「沈没船はどこだろう？」


私はこれまでの調査経験から、沈没船は目を凝らして探さないとなかなか見つからないことを知っていた。海底に残されているアンフォラなどの遺物の一部も、水中では岩と区別がつきにくいからだ。しかしフルニ島の遺跡ではそんな心配はいらなかった。

積み重なった何百ものアンフォラが見える。水深の浅い場所にある沈没船のため、アンフォラは波の影響で割れてしまい、完璧な形で残っているものは無かったものの、取っ手など、破片は綺麗な形を保っている。

「おーーーーーー！　凄いなー!!」

ピーターと私は一通りアンフォラの山を見て回り、さらに北に向かって泳ぎ、2隻の沈没船を確認することができた。こちらも先に見た沈没船と同様、アンフォラの塊が転がっている。100m泳いだら1隻の割合で沈没船がある！　何という場所なんだ！　早く作業を始

海底に残されたアンフォラを撮影する

めたい。

ギリシャ人リーダーからの洗礼

だが、発掘の現場は一筋縄ではいかない。水中調査2日目の朝、プロジェクトのトップ、コウツォウフラキス博士に呼び出された。

「コウタ、私はフォトグラメトリには全く期待していない。散々チーム内でフォトグラメトリを使用してきたが、誤差が酷い。考古学には全く役に立たないだろう。今回はピーターの頼みで君を招いたが、そこまで頑張らなくていいから、初めてのギリシャを楽しんでくれ」

博士の言葉に「おっ！　そう来たか」とは

思ったものの、あまり驚かなかった。

現在でこそ全く無くなったが、２０１８年頃までは学会やメールでこの手の反応をもらうことは、本当に多かった。

実は私も「フォトグラメトリは役に立たない」という意見がなぜ出てきてしまうのか、理解していた。使い手の知識と技量が足りず、カメラ設定やデータの取り方を間違えていたり、データ処理の仕方がまずく、使い物にならない粗末なフォトグラメトリ３Ｄモデルを、何度も見てきたからだ。

文句を言ってくる考古学者達が、そうした精度の低いフォトグラメトリしか見てこなかったのであれば、彼らの意見も全く正しい。ただ、今回のフルニ島でのプロジェクトは、私も報酬をもらってやってきたのだ。フォトグラメトリを使用したデジタル３Ｄモデル作成と、そのモデルから実測図（遺跡の地図）を作成するという仕事を放って、ただ日光浴を楽しんでいるわけにはいかない。

とりあえずコウツォウフラキス博士には、「お考えはもっともですが、博士が今後、沈没船遺跡の分析を行う際に少しでも参考になるような情報を作るために頑張ってみます」とだけ伝えた。遠くで笑って見ているピーターの姿が見える。

数日後、私は朝食の時間にコウツォウフラキス博士にこっそり声をかけ、沈没船遺跡の3Dモデルを見せた。

「一応こんなのができました」

彼の眼の色が変わった。

「どうやったんだ？　データの精度は？」

私は3Dモデルの寸法の精度とその根拠を説明して、続けてそこから作成した実測図を見せた。

「どうやって……」

博士は言葉を失って、ジッと実測図に見入った。

一口に考古学と言っても、各国ごとに傾向がある。国によって研究の主な目的や、遺跡からどのような情報を求めているのかが違ってくるからだ。

それが顕著に表れるのが、その国の考古学者が作成する実測図である。私はメンバーの中で仲良くなったギリシャ人の建築家に、これまでギリシャチームが手作業で作成してきた実測図を見せてもらった。

その実測図は、沈没船がどのように沈んだか、どのように遺跡が海の中で変化してきたかなどの情報を重視するものになっていて、アンフォラの向きと種類も正確に記されていた。

それを見て、ギリシャの水中考古学においては遺跡周辺の地形とアンフォラの形状、その出土位置がもっとも重要視されていると推測した。

そのため私は、地形とアンフォラの形状が詳しく分かるような実測図を作成した。ギリシャの水中考古学チームは通常これをチーム総動員で数週間かけて行う。それがプロジェクト開始から数日で目の前に現れたのだ、しかも誤差はミリメートル単位の精度となっている。

コウツォウフラキス博士はすぐに他のメンバーも呼んで、その沈没船遺跡の考察を始めた。嬉しそうに興奮しながらギリシャ語で話している。内容は分からないが白熱した議論をしているであろうコウツォウフラキス博士に、私はこう聞いてみた。

「この情報は使えますか？」

「もちろん！」

博士は力強く答えた。ピーターは隣でニヤニヤしている。

水深60ｍの蒼

プロジェクトが始まって2週間目、コウツォウフラキス博士からある記録作業の指示が出た。

「フルニ島に数多くある沈没船遺跡でも、特に水深が深いものは波の影響も受けておらず、保存状態がいい。盗掘を全く受けていない可能性も大きい。そのため水深45m、50m、60m地点にある3隻の沈没船から幾つかのアンフォラの引き上げを考えている。コウタにはその前にこの沈没船の3Dモデルと実測図を作成しておいてほしい」

それまで水深40mより深い場所に潜ったこともなかったので、私は少し不安になった。

水中作業は、安全を期して必ず2人1組で行うことになっている。各人が備えている予備のレギュレーターがもしもの時のバックアップになるからだ。それに、一般的には水深10m以下の場所では、ダイビングの機材に不備があったとしても水面まで浮上できる可能性も高く、基本的に命の危険はない。水深30mでも、急浮上したら潜水病になる危険性はあるが、死ぬということはない。

しかし、水深40mよりも深い場所で何か起き、しかもその時にパートナーが近くにいない場合、完全に「アウト」だ。なので、水深40m以上の場所で作業を行うと言われると、改めて「自分の仕事は命がけなんだ」と再認識させられた。

まず初めに行ったのは水深45m地点の沈没船遺跡である。正直、少し緊張したのをよく覚えている。

「怖いな」

太陽の光がまだ明るく差す水面付近からは海底は見えない。透き通った水の奥に見えるのはただただ「漆黒」だ。それが水深25m地点まで潜ると、少しずつ周りも暗くなり目が慣れてくる。更に潜水すると、光が十分に届かないので、紺碧の暗闇の中にいるような気持になる。その中から、徐々に沈没船が現れてくる。深い蒼の世界から遺跡がボヤーッと浮き上がってくる感覚だ。

周辺が暗いため、カメラに取り付けてある水中ライトを点ける。
すると美しい世界が目の前に突然現れた！
綺麗に積み重なっているアンフォラと海底はライトの光に照らされ驚くほど白く、その光が私の周りの蒼を一層濃くした。アンフォラには濃い黒色、オレンジ色、赤色の海綿（スポンジ）が張り付いて生きている。まるで油絵の具で塗りたくったみたいだ。

海底がこんなにカラフルだとは！　初めての世界に感動した。

続いて水深60mの遺跡にも潜ることになった。水深50mより深い場所は、それより浅い場所とは違う世界だ。「吸い込まれるのでは」と錯覚しそうなくらいの暗闇だ。目が慣れてくると、闇のようだった黒い蒼が、徐々に紫のような、紺碧のような、何とも表現が難しいが美しい色に変わる。まるで自分自身もその中に溶け込んでしまったような感覚に陥る。本当にそれほど濃い蒼なのだ。なんて美しい世界だ!!!

この水深60mが、私にとって最も深い場所での作業になった。沈没船の美しさと、自分も蒼の一部になったような感覚は今でもはっきりと覚えている。

水中作業は「下見」がポイント

私が世界各地で潜るのはフォトグラメトリを行うためだ。デジタル3Dモデルを実際に作成するのはパソコンのソフトウェア上になるので、私が水中で行わないといけないのは、その材料となるデジタル写真の撮影だ。

私は最初の水中作業で写真撮影はしない。まずはカメラを持たず1回現場に潜り、実測図に入れるべき範囲を最初の潜水時に決める。

例えば、海底に散らばる露出した遺物（積み荷）だけでなく、その散らばり方や、周りの地形、そして今後、発掘作業が進んでいって、発見されるであろう船体の埋まっている範囲を自分の目で確認し、予想する。

そして、自分がどのように遺跡を移動しながら写真撮影を行えば、歪みと穴（欠落箇所）

のない、必要な情報を反映した３Ｄモデルになるかを想像し、泳ぐ道順（フライトパス）を決める。

２回目のダイビングから、いよいよ写真撮影を行う。だけど、この時もすぐには写真撮影は始めない。

まずは大きな定規（スケールバー）を沈没船遺跡の周りに設置する。私の場合、設置した位置が、後にデジタル３Ｄモデルから実測図を作成した時の枠組みになるよう、遺跡の外縁部に置くことが多い。これらのスケールバーをデジタル３Ｄモデルの一部として作成することにより、後にデジタル３Ｄモデルに寸法（大きさ）が反映されるのだ。

スケールバーを遺跡に設置し終えたら、その端の水深をダイビングコンピューターで測り、記録しておく。この水深を使い、後に作成したデジタル３Ｄモデルに正しい傾きを与えることができる。「正確な寸法」と「正しい傾き」の２つを与えることによって、局地的な座標を遺跡のデジタル３Ｄモデルに与えることが可能になるのだ。

ＵＦＯのように動いて撮りまくる

私が水中で使っているのは、いわゆる普通のデジタルカメラである。これを「水中ハウジング」という防水ケースに入れて使う。カメラは高画質であればあるほど良い。

ちなみに使うレンズは広角なものを選ぶ。これがポイントの1つ目だ。水中遺跡の場合、透明度の問題が出てくるのだが、広角レンズを使用すれば、遺跡に近づいても、広い範囲をとどめたまま写真撮影ができるからだ。

撮影の対象物とカメラの間にある水の量が少なければ、よりクリアな写真が撮れるので、できるだけ近くから撮りたい。ただし歪みの大きい魚眼レンズは避ける。


もう1つ重要なのが「光源」だ。当然水中は陸上よりも暗い。また太陽光は水に赤色を吸収されて、水面から海底に届くまでに青色になっている。

そのため、強力なフラッシュライトを「水中ハウジング」に搭載している。ハウジングの左右から出ている持ち手の先に電気スタンドのように伸ばしたり折り曲げたりできるアームを付け、そこにライトをセットするのだ。私は、2019年までは強力なフラッシュライトを2つ、2019年以降は更にビデオライトを2つ追加し、計4つの水中ライトで対象物を照らしながら撮影している。

カメラのセッティングはマニュアルで、絞り値とシャッタースピードを高く設定する。これによってボカシや手振れの少ない鮮明な写真が撮れる。

ただ、絞り値とシャッタースピードの両方の値を高くセッティングすると、写真が暗くなる。そのためにも私はかなり光量の多い水中ライトを4つ併用しているのだが、水中ライトがカメラに近すぎると、水に漂っている不純物からの照り返しを受けてしまうので、なるべく長いアームを使い、ライトの位置をなるべくカメラから離している。それを左右対称に設置することにより、片方の水中ライトによってつくられる影を相殺しているのだ。ここまでセットしたカメラを手に持った姿は、さながら大きなカニを持っているように見えるだろう。

また、水中では全てが青くなってしまうので、撮影時に使うフラッシュライトを焚いた状態にしてからカメラのホワイトバランス設定を調節する。これらが全て終わって、いよいよフォトグラメトリのための写真撮影を始められる。

3Dモデルを作成するには、相当な撮影数が必要だ。なぜかというと、フォトグラメトリソフトウェアは、写真を撮影したカメラの位置の違いを自動認識する。それを何百・何千回と繰り返すことにより、対象物の形を認識する。例えば、遺跡の周りに眼が何百・何千とあれば対象の形をしっかり認識できるだろう。フォトグラメトリでは「眼」の代わりに「デジタル写真」を使っているわけだ。

撮影時、私は次に撮る写真と、その前に撮った写真が80%以上オーバーラッピングするように撮影し続ける。つまり対象の箇所が5回連続写真に写り込む（撮影範囲が20%ずつ進む）頻度で撮影する。そうすれば、ソフトウェアが正確に連続する撮影箇所を認識できるし、前後の写真に、撮影できていない欠落が生じないからだ。

写真撮影をする時は、離れすぎると透明度の関係で対象が鮮明に写らなくなるので、大体1m～1.5mぐらいの距離で撮影する。特に重要な箇所は30～50㎝ぐらいまで対象物に近づく。30分の作業時間で2000枚近くの撮影をすることもある。1秒に1回かそれ以上の頻度で撮影をしている計算だ。1回のダイビングで写真撮影の作業が終わらないことが多いので、その場合は何回でも潜り、写真を撮りまくる。

水中ハウジングに水中ライトをセットしたカメラ

よく「自動撮影モード（タイムラプス）」を使わないのかと質問を受けるが、使わない。写真撮影の1回1回にオートフォーカスで焦点を合わせるためである。つまりシャッターボタンを半押しにして、常に対象物に焦点の合ったクリアな写真を撮れるようにしているのだ。

ちなみに遺跡に近づいたり離れたりすると水中フラ

ッシュライトと対象物の距離の違いで、写真ごとに暗くなったり明るくなったりする。また浅い水深での作業は、太陽が雲に入ったり出たりで明るさが変わってしまう。こうした変化は頻繁に起こるので、私は一瞬で絞り値やシャッタースピードを調節することによって、撮影作業を中断せずに露出（明るさ）を調節できるようにしている。使用しているカメラは「自分の体の一部」というぐらいに使いこなせないといけないのだ。

ただこれには1つ問題がある。指が攣りそうになるのだ。毎年、発掘シーズンの初めのうちは指の筋肉と連動している手の甲が筋肉痛になる。これも職業病だろうか……。

他にも、丁寧に撮らなければならない所は泳ぐスピードを落として撮ったり、小さいくぼみや大きな沈没船の船体側面を撮影する時などは逆立ちしながら撮ったりと、水中遺跡の撮影はスピードだけでなく繊細な動きも要求される。一瞬一瞬が判断の連続だ。

水中撮影作業が一度始まったら、私は足を全力で動かして前進しつつ、神経を指に集中して半押しを続けシャッターボタンを押すことを繰り返す。その間、オーバーラッピングを確保するための撮影頻度と、自分の位置に気を遣い、頻繁にキョロキョロ周囲を確認しながら基本的には全力で泳いでいる。

ある同僚は、私のことを「まるでUFOが水中を移動しているみたい」と言う。端から見れば、不規則かつすばしっこく動きまわっているように見えるからだろう。

プロジェクト中は太る

ずっと海外の水中発掘プロジェクトで働いていると、毎日のハードな作業から、痩せていくのではないかとよく誤解される。しかし、私の体重はプロジェクトに参加すればするほど増えていってしまうのだ。

水中で撮影している時の様子

フルニ島でのプロジェクトでは、4〜5日に1回のペースで、港の保存処理作業用のテントの周りでちょっとしたパーティーが開催された。その日の作業中に、時間の空いたギリシャ人メンバーの何人かが、貝や魚を捕ってくる。それを保存処理の責任者アンギラスが調理するのだ。これがうまい！　そして振舞われる量も多い。たまに大量のウニや貝もあり、「この人達は、水中考古学をしに来ているのか、それとも漁に来ているのか……？」と疑問に思うほどだった。楽しいのでお酒も進み、お腹いっぱいになる。ただ、これは夕食ではない。8時からはレストランでおいしい夕食がこれまた大量に振舞われるのだ。

ギリシャでの例は極端だが、水中考古学プロジェクトでは暴飲暴食することが多い。もしかすると地元レストランや調査チームの責任者が、チームメンバーの士気を上げるという名の暴走をしているのかもしれない。

ありがたいが、私の体には着実に脂肪は溜まっていくので、毎年、発掘のオフシーズンである1〜2月に頑張って5kgほど減量する羽目になっている。

保存処理は時間との闘い

シェフとして私の体重増加に協力してくれたアンギラスであるが、彼は保存処理の立派な専門家である。プロジェクトリーダーのコウツォウフラキス博士と同じくギリシャ政府の考古学庁に所属しており、普段は陸上遺跡から出土した遺物の保存処理や復元修理を行っている。

遺物の引き上げを伴う水中考古学プロジェクトの場合は、必ず彼のような保存処理の専門家が1人は現地調査に参加する。引き上げた遺物の構成物質や状況を理解し、それに応じ様々な機材や薬品を使い分けることのできる保存処理の専門家の存在が、絶対不可欠なのだ。

例えば水中に何百〜何千年も沈んでいた木材は、細胞内の成分が外に溶けだし、代わりに水分が細胞内に入り込み、細胞壁がかろうじて木材の形状を維持した状態になっている。簡単に言えば水を含んだスポンジのようなものである。その木材が空気に触れて乾燥すると、蒸発時の水分の表面張力によって、木材の細胞壁が破壊され、グシャッと潰れてしまうのである。台所のシンクでカラカラに縮んだスポンジを見たことがあると思う。あれと同じだ。

ただスポンジと違って、何百〜何千年も水に浸かった沈没船の木材は、再度水に浸けたとしても元の形状には戻らない。適切な保存処理を行わないと、木材の形状や、表面に刻まれた造船時のマークやノコギリの跡などの貴重な考古学的情報が、永遠に失われてしまうのだ。

鉄をはじめとした金属も、海中に長時間さらされることによって金属中の電子が海水の中で移動する時に海中の成分と反応してコンクリート化する「電食」という化学反応を起こし、不純物が周りに形成されてしまう。これを丁寧に処理しなければ遺物本体を傷つけてしまう。アンフォラや陶器も長年海に沈んでいたことにより、表面や小さなヒビから海水が侵入している。引き上げて空気に触れると、その海水が蒸発し、内部の塩分が結晶化し、体積膨張によって、遺物は内部から破壊されてしまうのだ。そのため適切な脱塩処理を行わなければいけない。

アンギラスには専門家として「水中から引き上げた遺物は、その日のうちに保存処理を始めなければいけない」という信念がある。特にアンフォラに付着している海綿などの海洋生物は、海底からとても貴重な考古学的情報だ。アンフォラの表面に残された模様や落書きは、引き上げて数時間以内に専門の道具で綺麗に除去する。また水中から引き上げた遺物が、時間経過と共にどのように状態が変化しているかを詳しく記録するのも大切な仕事だ。

遺物の保存処理や復元には、基本的には数カ月から数年もの時間がかかる。木材や鉄製の遺物では数十年かかることもざらだ。

そのため、水中発掘で遺物が引き上げられても、すぐに博物館などで展示されるわけではない。例えば、1628年にストックホルム港で沈没したスウェーデンのヴァーサ号は、船体が引き上げられてから展示までに27年かかっている。引き上げられた船体全体に、それまで木材の細胞内を満たしていた海水の代わりにPEG（ポリエチレングリコール）という化合物を溶かした水溶液を浸透させ、コーティングが完了するのには、それほどの時間がかかるのだ。

ちなみに、陸に引き上げたアンフォラは何もしないと、とても臭い。なにせ何百年も水中に残され、ウツボやタコが住み着いていたのである。生き物が腐敗したような臭いがするし、タコが集めてきたガラクタが詰まっている。海底では魅力的に見えた海綿も、手で触れるとねちょねちょしている。遺物としてはとても重要だが、正直、私はアンフォラが好きではない。

アンフォラ

形状や見た目は歴史を感じることができてかっこいいのだが、アンフォラは写真で見るに限る、というのが個人的な意見だ。

発見が止まらない！

夢の中にいるように楽しかったフルニ島での3週間は、あっという間に過ぎていった。

2班の水中探査チームは新たに8隻の古代と中世の沈没船を発見した。これでフルニ島周辺から発見された沈没船の総数は53隻となった。

しかし、これだけでは終わらず、更に翌年の2018年、3週間弱の調査で新たに5隻が見つかった。合計で58隻もの沈没船がフルニ島の周辺の海底から発見されたことになる。私も2018年のシーズンに新たに7隻の沈没船遺跡の記録作業を行い、記録作業が終わったのは15隻となった。

この調査シーズンで、ギリシャ・フルニ島での新たな沈没船の水中探査作業には一段落が付き、2021年以降に再開される調査では、いよいよいくつかの沈没船の発掘作業も開始される予定だ。ただ、まだ海の中には43隻の沈没船が残っている。これら全ての沈没船の調査が終わる頃には、きっと驚くような新発見が沢山あることだろう。

第5章　そこに船がある限り、学者はドブ川にも潜る

川の考古学

水中考古学者が潜るのは、海だけではない。私が初めて水中発掘を経験したのは川だった。修士課程の大学院生だった2011年にイタリアで行った古代ローマ船の発掘だ。

実は古くから川を水路として利用し、内陸部と交易をしていたヨーロッパの国々やアメリカでは、河川で沈没船を発掘する機会は多い。

例えばアメリカの場合、19世紀に蒸気船が急速に発展し、河川を繋いだ巨大な内陸の交通ネットワークが誕生した。ニューヨークからハドソン川を遡り、カナダのモントリオールへ抜け、そこから五大湖に入り、ミシシッピ川を経てニューオリンズに抜けることもできた。アメリカの河川での沈没船の発掘研究は、独立戦争や南北戦争を語るうえで、最も重要な研究分野となっている。

他にも内陸国で海を持たないスロバキアにも、水中考古学者はいる。河川や湖から古代や中世の沈没船が見つかることもあり、その地域の交易の歴史を知るための重要な考古学資料として近年注目されている。

しかも、今回の舞台はドブ川である。

私達水中考古学者は、歴史的に重要な沈没船が発掘されたならば、汚い川や、凍りかけの湖でも潜る。さぁ、イタリアの田舎町の茶色い水に一緒に飛び込んでいただこう。

未発掘の船が川底に

2011年の初夏、大学院修士課程の2年目を終えたばかりだった私は、イタリア北西部、ベネチア近郊にあるマルコ・ポーロ国際空港に到着した。空港までチームメンバーに迎えに来てもらい、車で東側に1時間弱のところにある、中世の街並みが美しいパラツォーロ・デッロ・ステラという小さな町へ向かった。

この沈没船発掘プロジェクトはイタリアのウディネ大学と、私が所属するアメリカのテキサスA&M大学の共同で行われた。

我々の目的はパラツォーロ・デッロ・ステラの町を流れるステラ川に沈む沈没船を発掘研究することだった。「ステラ1(ウノ)」と名付けられたこの船は1981年に発見され、1998年と1999年に調査が行われていた。しかし、この時は積み荷の引き上げと研究だけで、船そのものはほぼ未発掘のまま残された。調査の結果、この船が西暦1～25年頃に沈んだ船ということは分かっていた。つまりおよそ2000年前に沈んだ船ということになる。2000年前! 想像もつかない。

イタリア側のリーダーであるカプリ教授は普段、イタリア北西部の古代ローマ時代の陸上の遺跡や水中に沈んだ橋などを研究対象としている。

今回は「船」というカプリ教授にとっては専門外の研究対象だったので、カストロ教授に声をかけ、共同で水中発掘を行うことになったのだ。

薄い味噌汁のような川

イタリアに到着して2日目と3日目は水中発掘作業の準備と、1カ月間の共同生活に必要な日常品や食料などの買い出しとなり、ようやく水に潜ることができたのは4日目だった。

まず、午前中はこれから行う水中での発掘の基本的な作業内容の確認をし、午後、私達の滞在しているアパートから車で20分ほどかけ、ステラ川に向かう。ステラ1沈没船の発掘現場は、波止場から上流にわずか200mほどしか離れていない距離にあった。初めて水中遺跡に潜れるという現実を目の前にして、心臓の鼓動が早くなる。

しかし、現場を見て、私はすっかりビビってしまった。

「汚ねえ……。そして臭いな」

川の表面に茶色の泡が浮かび、それが割れることなくモコモコと形を保ったまま、下流に流れていく。川の透明度は50㎝ほどだろう。腕をピーンとまっすぐ伸ばしたら指先は見えない透明度だ。まるで「薄い味噌汁」である。どうもパラツォーロ・ステラ郊外に広がる畑から、泥水が流れ込んでいるようだ。おそらく家畜の糞が原料の肥料も含まれているのだろう。それで臭うのだ。川幅は広いところで20m程である。流れは緩やかだが、本当に汚い。実際、プロジェクトが終盤に差し掛かる頃には、なんとチームの半数である4人が感染症で耳をやられてしまった。

発掘調査中、ネズミかモグラと思われる大きな死体が、水面をドンブラコドンブラコと運ばれていくのも何度か見た。

「本当にこんな場所で潜るのか?」

繰り返しになるが水中考古学プロジェクトは、水が綺麗だから行われるわけではない。「そこに水中遺跡があるから」私達は潜るのだ。今でこそ、汚い場所で潜ることもへっちゃらになったが、水中考古学を学び始めて間もない当時の私にとっては、この川に入ることは、かなり勇気がいることだった。

本当に大変なのは水温だった

まずカプリ教授がステラ1沈没船の位置を潜って確認し、ボートを係留するためのブイを設置した。その後、私達も沈没船現場に潜ってみた。水に飛び込んだ私は声にならない悲鳴をあげた。

「ぎゃーーーーーーー!」

冷たい! ステラ川を流れるのは、イタリアの北端のアルプス山脈からの雪解け水である。

水温は初夏であろうと10度ほどだ。

　それなのに私達はイタリアチームから「ウェットスーツで十分」と説明を受けていた。冷たい水でも頭と手首以外は濡れずに済み、保温性のあるドライスーツを着ないのがイタリア式の「男らしさ」なのか？

　まず、全身に痛みが走る。特に手足の指先はペンチで潰されているような痛みだ。冷たいのではなく痛いのである。しかも流れが速い！　気を抜いたら流されてしまいそうだ。

　私達はブイから川床に伸びるロープをしっかりと摑み、潜っていく。水面から1ｍも潜ると透明度が一気に落ちた。真っ白である。まるで雪山の吹雪の中にいるようだ。さらに潜ると目の前が茶色になり、身体が何かにぶつかった。川底だ。水深は5〜6ｍほど。カプリ教授の設置したロープが張り巡らされていた。透明度が悪く、ロープがどこに繋がるかは見えないが、これから発掘する沈没船の周りにぐるっと1周張り巡らせてあるはずだった。流されないように這いつくばりながらロープ内の範囲を確認してみたが、内側には泥が堆積しているだけだった。しかし、この泥の下に沈没船の船体が埋まっているのであろう。

　一通り川床を見て回った私達は水面に浮上した。寒さでとにかく震えが止まらなかった。

濁った川底で、船の外板の厚さを測るカストロ教授

船着き場に戻り、日光で体を温める。Tシャツで歩き回る街行く人々を横目に、私達は毛布にくるまっていた。

「発掘って大変なんだな……」

今更ながら、そんなことを考えた。

流れに逆らえ

翌日から本格的に水中発掘が始まった。今回のプロジェクトは船の引き上げは行わず、発掘し露出した船体の形状を記録し、どのような船が、どうやって造られたかを調査することが目的だった。そのためにはチーム全体で船体構造を露出させなければならない。まずは掃除機のように土砂を吸いあげるホース状の水中ドレッジで川床を掘り進めた。

発掘チームは4人ずつの2班に分かれ、各班1日に2回ずつ潜水作業を行なうことになった。ステラ川の透明度は、基本は50㎝程度だ。ただ1週間に1回ほど透明度が向上し1m程になることもある。逆に1週間に2〜3日は透明度がほぼゼロになったりする。

これは川の上流のどこかで雨が降ると、泥水が川に流れ込むためだ。もちろん海での発掘でも日によって透明度が変わるが、川では変化がより顕著なのである。

私達の滞在していたパラツォーロ・デッロ・ステラ周辺では晴れの日が続いていたが、上流の山間部ではよく雨が降るので、1週間の3分の1は作業できなかった。

「鯉のぼりの鯉はこんな気分なのだろうか」

風を受けてパタパタとたなびく鯉のぼりを思い出し、そんなことを発掘中に何度も考えた。私達が苦しめられたのは、何より川の流れだった。鯉のぼりよろしくパタパタどころか、ビューッと流されそうになりながら、必死に逆らって泳ぎつつ発掘作業や記録作業を行わなければならない。

ステラ川は水深が5〜6mと浅いので、海での発掘とは異なり、潜水病の心配はそれほどしなくてよい。そのため、水中での連続作業時間は1時間以上になった。それだけの時間、川の流れに逆らって泳ぐのは大変だった。

やっと出会えた初めての古代船

作業を始めて2週間が経つと、分厚く堆積した土砂が取り除かれ、沈没船が姿を現してくる。私にとっては、初めて見る古代船だ。

そして、ついにその瞬間がやってきた。

その日、私達の前に潜った班から「船体が露出した」という報告は受けていた。いよいよ私の番だ！　鼓動が早くなる。ドキドキとワクワクを胸に、潜水を始めた。

水中は相変わらず50㎝先までしか見えなかったが、もう何度も作業しているので、迷うことなく、船体が露出している場所に行くことができた。

濁った川の水の中で底に顔をグッと近づける。目に飛び込んできたのは……。

「おおおおおおお！　船だ！」

想像以上に素晴らしい光景だった。1m×1mくらいの範囲で木材が露出している。表面には、木目までしっかり見える。

「ここまで保存状態がいいものなのか！」

それこそ、一見しただけではこの木材が昨日沈んだものか、２０００年前に沈んだものか区別するのは難しいだろう。

これはステラ川の特殊な環境のおかげだった。

１９９０年代の2回の調査で、この沈没船から発見された積み荷のほとんどは、古代ローマ時代のルーフタイル（瓦）だった。この地域は古くから焼き物に適した土が採取できることで知られており、ルーフタイルは当時の名産品だったことが分かっている。焼き物に使われる泥は粒子が小さく、それが混ざったステラ川の川床は、一度埋まってしまえば外部の空気を完全に遮断するので、内部にはいかなる微生物も生息できないのだ。そのおかげでステラ1沈没船は昨日沈んだかのようなフレッシュな状態で私達の目の前に現れたのである。

目をさらに凝らすと、幅30㎝程、厚さ3～4㎝程の木の板が並んでいる。外板だ。外板は船の外側を構築する木材である。隣り合う外板と外板の繋ぎ目に、植物の繊維が束ねられ、盛り上がっていた。木材同士の間から、水が入ってこないように隙間を埋めているのだ。その1本1本の繊維まで完璧な状態で残っている。

船体の内側にはタールのような茶色いものも塗られていた。植物の繊維でも防ぎきれず、船体に染み入ってくる水を弾く役割があった。更に船首部分から船体中央部に眼をやると、船体を補強するためのフレームが見えた。フレームの下部が、外板同士の繋ぎ目に沿ってあてられた植物繊維の束を避けるように削られ、凹んでいる。

「！」

造船過程が逆なら、このように非規則的にフレームの下部を削る事はしない。外板の繋ぎ目に合わせて削ったから凹みが不規則なのだ。つまりこの船は最初に外板部が作られ、その後にフレームが備えられたということになる。私の心臓の鼓動がまたしても早くなる。

「紛れもない！　古代船の船体構造だ!!!」

船は世界中で古代から造られていた。有名なところで言えば、古代エジプトでは移動手段として船が活用されており、紀元前２５００年頃にすでに全長約42ｍの「クフ王の船（通称：太陽の船）」が作られている。

外板とフレームについては第4章の冒頭でも少し触れたが、ここで改めて書こう。

古代船は総じて丸木舟から進化してきた。そのため、造船の過程においては、船の内部に備えられたフレームではなく、外板部が最重要とされてきた。このように外板(シェル)が先に造られる船を「シェルファーストコンストラクション」と呼ぶ。

その後、地中海周辺の世界では、外板の補強として備え付けられたフレームの役割が徐々に重要になっていき、西暦7世紀から11世紀にかけて、ついに外板部よりも先にフレームが造られた船が誕生する。つまり、最初にフレームを骨格として組み立て、そこに皮のように外板を張り付けたのである。これにより、船全体の形状をコントロールできるようになった。

21世紀現在でも、木造船はフレームが先に組み立てられ、その後に外板が張り付けられている。フレームが先に造られる船を「スケルトンファーストコンストラクション」と呼ぶ。スケルトンとは骨組みや駆体という意味だ。

このコンセプトは地中海世界の船全体に適用でき、シェルファーストコンストラクションの船は中世中期以前に造られた船、スケルトンファーストコンストラクションの船は中世中期以降に造られた船と考えられる。私達船舶考古学者にとって、これが、船が造られた時代を判断する基準になっているのだ。

「本当に古代船だ！」

私は川の流れに逆らいつつ、沈没船と一定の距離をとりながら舐めまわすように観察した。たとえ新しく見えても、２０００年もの間川底に埋まっていた木材はカステラのように柔らかくなっている。身体や機材をぶつけて破壊しないように気を付けなければならない。

それでも初めて目にする古代船を前に、パッションがふつふつと沸き上がってくる。何年間も憧れ追いかけてきた女性とやっと会えた……。

そのくらい、感動する瞬間だった。

水中での手実測

沈没船が露出し始めると、私達の水中作業も新たな段階へと進んだ。

発掘によって露出したステラ1沈没船の船体は全長が約５m、最大幅が２m程度だった。これをカストロ教授と２人で測量し、実測図を作成するのが、残り２週間弱の私の仕事となった。

濁った川の底に潜り２人1組で作業を行うのだが、50㎝の透明度では一緒に潜っているカストロ教授がどこにいるのか確認できない。私も自分の手元に集中して作業している。私は船尾付近、教授は船首付近で作業しているのだが……ゴンッ！　教授の足が私の頭に当たった。たまに教授の足が濁った水の中から現れ、私の頭を蹴る。ただ濁った川での作業ではそれも日常茶飯事になっていた。

今でこそ私はフォトグラメトリを使って水中遺跡の記録作業を行っているが、この頃はまだ手作業で実測図を制作していた。

使用する道具は紙と鉛筆。ただ、水中で使用する紙は、半透明のプラスチック製の合成紙である。これをプラスチック板にテープで張り付ける。決して木製の板は使わない。もし手を離したら、どこかに流れていってしまうからだ。金属だと錆びてしまうので、重めのプラスチック板が最適なのである。文字を書くのは、普通の鉛筆だ。鉛筆の芯は黒鉛で、水中でもしっかりと文字を書くことができる。

とはいえ、水中では細かい文字や、詳細なスケッチはできないと考えてもらいたい。寒さ対策で分厚いグローブを着けているのと、やはり冷たくて手の感覚が無くなっているのに加え、紙は板で押さえているものの、その板を流れに抗い持つのは片手だけなので、水中で物を書くとどうしてもブレブレになってしまう。

そのため、水中作業に入る前に、以前に潜った時に撮っておいた写真や作成中の実測図などから、紙に測量に必要な箇所のスケッチを書いておく。無ければ想像で書いてもいいが、重要なのは「水中でスケッチをしようとしない」ことだ。

さらに測量予定箇所に、Aなどの記号を振り分ける。そしてスケッチの隣の余白にA－B、C－Oというように文字列を書いておくのである。A－Bは地点AとBの距離というわけだ。そして水中でA－Bの距離を定規や巻き尺で測ったら数字だけをそこに書き足す。つまり水中考古学者が水中で書いている測量データは一見すると記号と数字だらけなのである。

水中から上がると、記号や数字をすぐに手帳かノートに書き写す。水中で書いた文字は読みにくいことが多いので、記憶が確かなうちに書き写しておかなければならない。数時間経つと自分が何を書いたかも分からなくなるぐらい、水中で書いた情報は酷いのだ。冷たいテラ川でのようなプロジェクトではなおさらだ。水の冷たさで、神経がマヒしてしまい、指先の感覚は完全になくなる。作業を開始して60分を過ぎた頃になると、いよいよ指も動かなくなるほどだった。こうなっては鉛筆を握ることもできないので、作業終了だ。

アパートに戻ると、ノートに書き写された数字を基に、広げた方眼紙に正確な寸法で沈没船の船体を書き出していく。これが実測図の下書きとなり、完成した後に研究用にさらに清書するのだ。

もし皆さんが水中発掘の現場に居合わせて、脈絡のないアルファベットと数字がずらーっ

縫合接合の様子。写真はエクス・マルセイユ大学が復元した古代船のレプリカ船

と並んだ謎の紙やノートを見つけたとしても、それは変な儀式が行われているのではなく、水中考古学者が水中遺跡の測量作業をしているだけなので安心してもらいたい。

レア船と発覚！

ステラ1沈没船の水中発掘プロジェクトは学術的に、価値のあるものとなった。

この船は「縫合接合船」だったのだ。

縫合接合船はとても珍しいタイプの古代船で、船の外側の板（外板）が互いに縫い合わされて接合されている。エーゲ海を中心に、少なくとも紀元前1000年頃から存在し、紀元前6世紀頃になると地中海全域に広がり、ギリシャ文明圏を代表する造船方法になった。

しかし紀元前4世紀頃になると、今度はエ

ジプトやフェニキア文明圏で使われていた「ペグド・モーティス・アンド・テノン接合」という、一方の外板に穴を空け、そこにもう一方の板をきっちりとはめ込み固定する造船技術の流入により、姿を消してしまう。

ただ、なぜかアドリア海北部では中世前期頃（少なくとも6世紀頃？）まで縫合接合が使われ続けた。ステラ1沈没船はその数少ない1つなのだ。

ステラ1沈没船にはもう1つ特徴があった。多くの縫合接合船と違い、完全に平らな船底を持っていたのである。そして帆走能力を可能にするキール（竜骨）やマストを備え付ける台座・マストステップも見つかっていない。つまりステラ1沈没船は、帆走能力を持たず、水深の浅い川や潟での使用を目的に造られた牽引輸送用の船（バージ船）と考えられる。これらの特徴から、船舶考古学学会でも、とても貴重な事例の1つとなった。

そして私にとっても、水中考古学者としてのキャリアを歩んでいくうえで、早い段階でステラ川のような流れの強いドブ川で水中発掘をできたことはとてもありがたい経験となった。その後、どんなに「透明度が悪い」と言われる場所で潜っても、ステラ川に比べれば、スポーツジムの透き通ったプールのように思えるからだ。

第6章　沈没船探偵、カリブ海に眠る船の正体を推理する

親友との旅路

私の発掘場所で地中海の次に多いのが、カリブ海だ。

カリブ海における西洋船航海の歴史は、15世紀末に始まる。1492年、コロンブスがアメリカ大陸という新世界到達を果たし、それ以降、欧州列強がこの海に乗り出した。そのため、多くの西洋船の沈没船が見つかっているのだ。

2019年の10月中旬、私はクロアチアでの仕事を終え、そのままコスタリカに向かった。今回の旅には親友の水中考古学者のマトコが一緒だ。基本的にいつも1人で移動している私にとって、誰かと一緒に飛行機に乗るというのは奇妙な感覚だった。

私とクロアチア人のマトコは、第2章で紹介した2012年のグナリッチ沈没船の水中発掘調査で出会った。私がカストロ教授のアシスタントであったように、クロアチアのロッシ教授のアシスタントとして働いていたのが、当時修士課程に在籍する大学院生だったマトコだ。

10代半ばからクロアチアのダイビングセンターでインストラクターとして働いていた彼は、高い潜水作業の技術を持ち、ロッシ教授の右腕として活躍していた。2015年には、テキサスA&M大学に留学に来て、研究室で毎日一緒に過ごすうち、5歳上の私を兄のように慕ってくれるようになった。大学院を卒業後は、5隻ものヴァイキング船を展示していることで有名なデンマークのヴァイキング船博物館で働いていたが、2019年に海洋調査会社の水中考古学部門の責任者という仕事を得てクロアチアに帰っていた。ちなみに彼は非常に甘いマスクの持ち主で、過去にクロアチアの雑誌でその年のイケメン4位に入賞した事があるほどだ(1位から3位までは有名俳優だったので、一般人ではトップである)。

サルの大合唱と密林に囲まれて

マトコと私はコスタリカの首都サンホセに着いた。標高1200mほどの山の中にあり、気温も25度程度で、比較的過ごしやすい。1泊した後にレンタカーで5時間かけて、目的の町、カウイータに向かう。

カウイータはコスタリカ南東部のカリブ海に面した小さな町だ。周囲には、絵に描いたような熱帯雨林が広がり、カウイータ国立公園という自然保護区になっている。山岳地帯にあるサンホセとは比べ物にならないほど、温度も湿度も高い。気温は30度ほどだが、湿度が70%以上になる。梅雨の時期の東京とよく似ている。

私とマトコの宿泊先ホテルも国立公園の裏にあったのだが、周辺にはホエザルやノドジロオマキザルなど色々な種類の野生の猿が住んでいる。1匹が叫び始めると、すぐに大合唱になってしまい、かなりうるさい。これが美しい鳴き声ならまだしも、まるでガラの悪いおやじが全力で文句を言いながら嘔吐しているような鳴き声なのだ。それがそこら中から聞こえる。朝はこの声でたたき起こされた。屋根しかない吹き抜けのホテルのラウンジの中はリスがヒョイヒョイと駆け回り、ド派手な青い蛍光色の猛毒カエルが地面でリラックスしている。

ずいぶん遠くに来たもんだ。船の研究のためにこんな密林の中で働くことになるとは、水中考古学を学び始めた頃には、全く想像もしていなかったな……。

カウイータで出迎えてくれたのは、私達の友人で、このプロジェクトのリーダーである、デンマーク人水中考古学者のアンドレアスである。彼はこのプロジェクトのために半年前から家族と共に1年間限定でこの町に移住していた。

アンドレアスは、マトコがヴァイキング船博物館で働いていた頃の上司で、2人は仲が良かった。マトコが2017年に日本に研究に来た時も「日本の博物館展示を学ぶ」という理由でくっついてきて、私も親しくなった。その後も、国際学会に3人で参加するなど、ことあるごとに理由をつけて一緒に過ごしていた。そんな中、かねてから話していたのが「いつか3人でプロジェクトを立ち上げ、自由に研究したい」ということだった。そのチャンスがついに来たのだ！ 絶対に、素晴らしい現場になるはずだ！

今回の調査対象は、ウミガメも生息する美しい砂浜が広がるカウイータ国立公園沖、水深3〜6mの地点に沈む2隻の沈没船である。約800m離れた地点に沈む水中遺跡はそれぞれ「キャノン・サイト（Cannon Site：大砲遺跡）」、「ブリック・サイト（Brick site：レンガ遺跡）」と呼ばれている。地元では、「あれは海賊船なんだよ！」と根も葉もないうわさ話が伝承として残っていた。

もともと、アメリカの研究機関が2015〜2018年に現地調査に来ていたのだが、コスタリカの研究者や地元コミュニティと信頼関係を上手く築くことができず、追い出されてしまった。デンマークの水中考古学者であるアンドレアスが２０１８年の調査に加わり、アメリカが撤退した後もコスタリカの研究者達と引き続き共同研究をしている。

アメリカの研究機関による４年間の調査で分かったことは２つ。

１つ目は、船の積み荷だったと見られるレンガが、17世紀から18世紀にかけて欧州諸国で使われていたものである可能性が大きいこと。

２つ目は、デンマークに残された歴史資料によると、１７１０年にカリブ海沿岸（コスタリカか隣国のニカラグア）で2隻デンマーク船が沈んでいたことだ。

しかし、15世紀末のコロンブスの新大陸到着以降、カリブ海沿岸では西洋帆船の海難事故が多数起こっており、これだけでは沈没船の正体の確証には繋がらない。

カリブ海に沈んだ2隻

ここでカウイータ湾に沈んだ2隻の沈没船遺跡と目されている、「クリスチャニス・クインタス号」と「フレデリカス・クインタス号」について紹介したい。

デンマークの奴隷輸送船として運用されていたこの2隻は、１７０８年にそれぞれ24門の大砲と60人の船員を乗せてコペンハーゲンからアフリカ西海岸に向けて出港した。出港時の積み荷の中には、カリブ海東部にあるデンマーク植民地、セント・トーマス島（現在のアメリカ領ヴァージン諸島）で使う建設資材も大量にあった。もちろん、その中にはレンガも含まれている。

アフリカ西海岸で奴隷を乗せた2隻は、セント・トーマス島に向けて航海をはじめた。しかし強い貿易風と嵐を受け、航路が南に逸れてしまい、セント・トーマス島を大幅に通り越してしまう。

そのままセント・トーマス島に引き返すのは不可能と判断した2隻は、ひとまず、進行方向にあったパナマに向かうことにした。当時、パナマにはポルトベロというスペイン人によって整備された港町があった。

しかしその航路の途中、またしても激しい嵐に遭い、2隻は中米東海岸の南部のどこかに漂着した。船は破損し、食料も枯渇したため奴隷達を解放し、船員達は近くに停泊していた西洋船にパナマまで乗せてもらう手配をした。

船員達は2隻の奴隷船から離れる際、フレデリカス・クインタス号は「火をつけて沈め」、クリスチャニス・クインタス号は「船員達を降ろした後で、錨ケーブルを切断して座礁させた」と記録に残っている。場所は、船員達の記録によると「コスタリカの北にあるニカラグアのあたり」だとされていた。そのため、コスタリカにあるブリック・サイトとキャノン・サイトは、近年の歴史調査が行われるまでクリスチャニス・クインタス号とフレデリカス・クインタス号の候補として挙がっていなかったのだ。しかし、記録に残っている積み荷などから、候補に入れられるようになった。

カウイータ湾の2隻の沈没船は、本当に1710年に沈んだデンマークの奴隷船なのだろうか？

通常であれば、沈没船の船籍や、船に載せていた大砲の表面にある国や製造会社の紋様、形状の細かな特徴の違いがヒントとなる。

しかし海中に長いこと沈んでいたキャノン・サイトの大砲は、「電食」という金属の電子の移動と海水の反応によってできた厚いコンクリートの層に覆われてしまい、かろうじて大砲だと分かるぐらいの状態になってしまっていた。こうなると製造年や表面に刻まれた情報を確認するのは不可能だ。

本来は、大砲を引き上げ、コンクリートを取り除き、電流を使った還元法や腐食によってできた空間に樹脂などを流して型を作り、大砲の表面データを復元する。しかし、作業には保存処理の専門知識と研究所が必要で、コスタリカ国内で行うのは許可・資金・設備面のど

キャノン・サイトに残された大砲。一見したところ、岩と変わらない

れをとっても現実的ではなかった。
つまり大砲からは船の国籍と年代を割り出すことができない。

より簡単で確実な方法が、あるにはある。ブリック・サイトからレンガを引き上げ、デンマークの研究機関に送り、レンガ製造に使われた砂の化学構成を調べ、デンマーク産だと証明すればよいのだ。当然、数年前からコスタリカの地元コミュニティや研究者達が政府からその許可を取ろうとしていたが、未だ下りていなかった。

この2隻の沈没船は国立公園の敷地内にあるため、珊瑚や海洋生物への影響を懸念して、コスタリカ政府から「水中発掘」は許可されなかったのである。

アメリカの研究機関も、現場では海底表面

の分布調査しかできなかった。私達もフォトグラメトリの許可は得られたが、掘り起こすことは許されなかった。そもそも水中遺跡の発掘調査を国内で一度も行ったことのなかったコスタリカ政府としては、自然環境の保護を目的とした国立公園内での「発掘」許可を与えることができないと考えるのは当然だろう。

コスタリカ政府は、この2隻の沈没船が歴史的に重要な文化遺産であるという確証がなければ動けない。しかし政府からの許可が下りなければ、この2隻がコスタリカ人にとって重要な文化遺産だと証明できない。

そんな堂々巡りの状況が何年も続いていた。

奴隷船は「不屈の強さ」の象徴

このプロジェクトが立ち上がった時、私は少し疑問に思っていた。

「アフリカ系との混血も多いコスタリカの人々は、果たして本当にこの船の発掘をしたいのだろうか?」

もしこの2隻が本当にデンマーク船であった場合、「三角貿易」の輸送船となる。ヨーロッパからアフリカ西海岸に航海し、大勢のアフリカ人奴隷をアメリカ大陸に連れてきた悪名高き「奴隷船」だ。自分達の祖先が屈辱的な扱いを受けた歴史の証拠に、そこまで熱心になるものだろうか？

しかし現地に到着して、コスタリカ人研究者達から説明を聞き、ハッとさせられた。

彼らは口をそろえてこう言うのだ。

「奴隷船とは『不屈の強さ』の象徴なんだよ」

16〜18世紀にかけて、アフリカ大陸から新大陸までは通常1〜2カ月の航海が必要であった。積み荷として運ばれていたアフリカ人奴隷達は人間扱いされず、ぎゅうぎゅう詰めで押し込められ、鎖で繋がれた。劣悪な扱いと衛生環境から、船に乗せられたアフリカ人のうち15〜30％が航海の途中で命を落としたとされている。

目を覆いたくなるような歴史だが、アフリカ系の祖先をもつ人の多いコスタリカ人にとって、アフリカ人奴隷はこの劣悪な環境を生き抜いた「強い人間」なのである。さらに1710年の遭難事故では、奴隷達は船から解放後、コスタリカの熱帯雨林で生き延びた。コスタリカ南東部にアフリカ系の住民が多いのはそのためだ。

この2隻の沈没船の水中調査はコスタリカの地元の人々にとっては、自分達のルーツを知る研究として注目されていたのだ。

2隻の眠る現場へ

いよいよ2隻の沈没船遺跡の調査がスタートした。

沈没船遺跡まではカウイータの町はずれにある船着き場からわずか15分程で到着した。ブリック・サイトの海底には、名前の通りレンガが約15m×10mの範囲に集中して散乱しており、壊れた大砲が2つ確認できた。水深は3〜6m程度だ。

海底をよく見ると、砂地の中に並んだレンガの一部が露出している場所が2カ所ある。両方とも範囲は50cm×50cm程度だ。砂を取り除けば埋まっているレンガの様子もよく分かるであろう。しかし、歴史資料で「船員達を降ろした後で、切断して座礁させた」と言及されている錨は周辺に見当たらない。

そこから海岸線沿いに西へ800m程行ったところにキャノン・サイトがある。こちらは水深3〜5m程の範囲に少なくとも14個の大砲が海底の15m×15mの範囲に散乱しているのを確認できた。大砲は規則性なく様々な向きでバラバラに横たわっていて、船の向きや大きさを推測することはできなかった。

キャノン・サイトの海底は岩場であり、その上に珊瑚も育っていた。これでは沈没船の船体に使われた木材は波の力とフナクイムシのえじきとなってしまい、残っていないだろうな、と推測した。

ただ、キャノン・サイトから50m程岸に向かった場所、水深1m地点に錨が沈んでいた。この錨は全長が少なくとも1.5mはある。これが、資料に記されていた錨だろうか……？

果報は寝て待て

2つの沈没船遺跡があった場所の透明度は低かった。乾季には20m以上あることも多いそうなのだが、私達が現場を訪れた初日は2m程であった。

沈没船遺跡のあるカウイータ湾の近くにいくつもの河口があり、雨が降る度に川から茶色の泥水が流れてきて、透明度を著しく悪くしてしまうのだ。私達が訪れた11月初旬は、例年ならば乾季から雨季への変わり始めの時期だが、運悪く2019年はいつもより少し早く雨が降り始めていたのだ。これでは、作業は進められない。

ブリック・サイトで見つけた、露出しているレンガ

とにかく透明度が上がるのを待つしかなかったが、その間はコスタリカ人研究者達に地元を案内してもらい、楽しく過ごすことができた。コスタリカはナマケモノの保護にも力を入れており、赤ちゃんナマケモノ達の可愛さを目の当たりにし、すっかり好きになってしまった。目がくりっとして愛らしいのだ。

残念なことにマトコはクロアチアでの仕事を再開するために一足先にコスタリカを去らなければならなかった。せっかく3人での研究スタートまでこぎつけたのに……。私も残念だったが、「まだ帰りたくない〜!!」とゴネるマトコに別れを告げ、私とアンドレアスは透明度が回復するのを、ひたすら待った。

そして1週間後、やっとチャンスが巡ってきた。数日にわたって晴れが続き、ようやく透明度が改善したのである！

とはいっても透明度は1.5ｍ程で風が強く波も高かった。しかし私の帰国も数日後に迫っていた。このチャンスに賭けるしかない。水深１ｍの岩礁地帯に隣接しているキャノン・サイトは波が高く、うねりも発生しており近づくことができなかったので、今回は岩礁の浅瀬から離れていて波も穏やかなブリック・サイトの作業に集中することにした。

海底では迷子になるな

透明度が低い時に一番気をつけなければならないのは、「自分が今どこにいるかしっかり把握する」ことだ。

透明度が悪い場所では対象物に近づいて撮影しなければならない。それ自体は、そこまで難しいことではない。透明度が50㎝ならば30㎝まで近づいて写真を撮ればいいだけだ。ただ、1回の写真で撮れる範囲が狭まる。だから、抜けの無い、完璧な沈没船遺跡のデジタル３Ｄモデルを作成するには、透明度が高い現場よりもさらに気をつけて、正確に、そして計画通りに「フライトパス」をなぞって泳がないといけない。しかし透明度の悪い場所で、泳ぎながら自分の位置を把握するのはかなり難しい。例えるなら濃い霧の中で目印や障害物のない草原を歩いているようなものだ。方向感覚はあてにならない。

しかも今回のブリック・サイトは未発掘の遺跡、そうと知らねば「少しだけこんもり盛り上がった砂地の海底」にしか見えない。撮影予定の20m×15mの範囲で泳ぎながら目印になりそうなものが見つけられなかった。それでも、ステラ1沈没船のような低い透明度下での作業経験と、自らの位置感覚のみを頼りに泳ぎ回り、何とか遺跡全体のフォトグラメトリ用の写真を撮ることができた。

地元の伝承では、ブリック・サイトのレンガは、昔、壁のように積まれた状態で海底に残されていたそうだ。それがある日、強い嵐がカウイータ湾を通り過ぎた後、このレンガの壁はすっかり流されてしまった、と伝わっていた。

しかし、私は完成したブリック・サイトのデジタル3Dモデルを見て驚いた。

海底の盛り上がり具合や、露出したレンガの様子から見ると、このレンガはまちがいなく積み荷として船に積まれていた当時の状態のまま沈んでいる！　まるで組み合わされたレゴブロックのような状態だった。

現場を見た時「海底にレンガがずいぶん埋まっていそうだな」とは思ったが、ここまできれいに残っているとは……。どうも、船が沈没した時、嵐によって船体は横転せず、比較的緩やかな浸水によって直立したまま嵐によって運ばれて来た砂の下に沈んだようだ。「レンガの壁」は今なお、その場に眠っているのだ。

この事の意味するところは大きい。砂地の海底の場合、積み荷が重ければ重いほど、その下の船体が砂に押し込まれ、無酸素状態で木材が保存される。

このレンガの下に船の木材が保存されている可能性はかなり高い！

そうだとすると水温が高く、木材を食べるフナクイムシなどの海洋生物の活動が活発なカリブ海の沈没船遺跡では珍しいことだ。水深が３〜６ｍと、発掘作業もしやすい。最高に研究価値のある沈没船だ！

沈没船探偵の出番

これまで多くの沈没船遺跡で水中調査をしてきた私は、同僚の水中考古学者達から沈没船遺跡の「査定」を頼まれる機会が増えていた。

これはテキサスＡ＆Ｍ大学で多くの時代の船の構造を学び、沈没船復元再構築の講義のアシスタントとして様々な沈没船の船型図を頭に叩き込んでいたおかげだ。さらに大学院卒業後、幸運なことに世界各地で52隻の沈没船の学術的調査に参加した。もちろん数が多ければいいというものではないが、次第に沈没船がどのように海底に沈み、埋まっているか、一目見るだけで理解できるようになっていた。

コスタリカでの仕事でも、ここが私の船舶考古学者としての腕の見せ所なのである。

プロジェクト最終日、今回の成果を地元の研究者達と学生達に報告するために、私達はカウイータの隣町に住むコスタリカ人メンバーの自宅に集まった。彼らとしては、私が作った「散乱しているレンガのデジタル3Dモデルを見てみたい」程度のものだったかもしれないが、私はこの2隻の沈没船遺跡に潜って自らの眼で見た時から、ある仮説を立てていた。それをお披露目する機会となった。

リラックスした雰囲気の中、この沈没船遺跡に関する説明を始めた。

デンマークに残っている歴史記録によると、クリスチャニス・クインタス号とフレデリカス・クインタス号にはそれぞれ24門の大砲が積まれているはずだった。しかし、ブリック・サイトには恐らく2門、キャノン・サイトに最大でも14門の大砲しか沈んでいない。沈没船遺跡と、記録で数が合わない。

そのため、以前にカウイータで調査していたアメリカ人水中考古学者の間では、この2つの遺跡は小型の1隻の帆船の遺跡で、沈没の際に甲板が崩壊し、船底部だけブリック・サイトとして残り、甲板より上部は今のキャノン・サイトまで流されて沈んだのではないかという仮説も出ていた。

そんなことは、あり得ない。

木造船は、フレームがあばら骨のように船全体の形を作っている。そのため、右舷と左舷の間で船体が縦に割れることはあっても、船体下部と上部の間に亀裂が入りバラバラになるなどということは、ほとんど起きない。

また、船という構造物は船体内部が空洞になっていることにより、中の空気と外の水の重量の違いが発生し浮力となるので、大砲や積み荷などの重たい物も輸送できる。もし、船が上下に割れ、船体上部だけが筏のように浮くだけの状態になってしまったら、重い大砲を14門も乗せたまま800mも移動することはない。その場ですぐに沈むだろう。

カウイータ湾の2カ所の遺跡は紛れもなく2隻の船である。

では何故、大砲や錨の数が資料に記されている数よりも少ないのだろうか？

それは、海底に沈んだ大砲と錨が、何者かによって引き上げられたからである。

当時もヨーロッパから新世界に運ばれた積み荷は大変貴重だった。これにはもちろん大砲や錨も含まれる。沈没から時間が経っていなければ、近くの砂浜に大量に木材が打ち上げられたり、海中からマストなどの船体の一部が水面に見えていたりして、他の船からも沈没船は見つけやすかっただろう。

2隻の船が沈没してから数週間以内には、沈没船内に残された積み荷を狙った他のヨーロッパ諸国の帆船によって、引き上げ作業が行われたはずだ。

そもそもクリスチャニス・クインタス号とフレデリカス・クインタス号に乗っていたデンマーク人の船員は、遭難地点の近くから他国の船に乗りパナマへ移動し、そこからセント・トーマス島に向かっている。恐らく2隻の沈没船の位置情報は、デンマーク船員や、この2隻から解放された奴隷により、ヨーロッパの他国にも漏れていたであろう。それに、このような横取り目当ての引き上げ作業が多かったからこそ、デンマーク人船員達は、2隻をわざわざ破壊してからその場を離れたのだ。

ただ、当時の大砲1門の重量はゆうに1トンを超える。つまり潜水のできる船員や、船の甲板からロープで直接持ち上げる方法による大砲の引き上げは不可能である。

では、当時の西洋帆船は海中に沈んだ大砲や重い積み荷を、どう積み込んだのだろうか？

実は、帆船に備わっている装備をフル活用することで、引き上げは可能となるのだ！

船には、帆を掛ける棒がある。「ヤード」と言うのだが、帆の上部をヤードに引っ掛け、パンッと帆を張る。帆を使わない時には、畳んで紐でヤードに結び付けておく。航海中は、風向きを読んでヤードの向きを変えることで、帆の向きを変える。

　このヤードの先に、滑車を取り付けてみよう。すると船そのものが「クレーン車」に様変わりするのだ。海底から大砲を引き上げる時には、海の方にヤードを向け、紐を海の中に垂らし、大砲に巻き付けたら、甲板にいる船員達が滑車に通した紐を引っ張るのだ。滑車を経由すれば、荷物の重さは半分になる。大砲を引き上げることも可能だ。

　つまり、西洋帆船を沈没船遺跡の直上に移動させ、こうした装備を利用すれば、海底に残された沈没船の積み荷を引き上げることが可能となる。


　ただこれには1つ問題がある。海底の大砲や錨の引き上げ作業が行える西洋帆船はある程度の大きさがあるので、浅瀬には近づけないのだ。

　それに照らし合わせて考えてみると、ブリック・サイトは水深1mの浅瀬の岩礁地帯から50m以上離れている。こちらは当時の帆船でも十分安全に近づけたはずだ。だから、ブリック・サイトからはほぼ全ての大砲と錨は持ち去られたと考えるのが妥当だ。キャノン・サイトの方は、海底に残された14門の大砲は、全てが岩礁から距離15m以内の場所から見つかった。言い換えれば、岩礁から離れた安全な場所にあった大砲は全て引き上げられ、持ち去られてしまったのだ。

　これで、海底にある大砲の数が少ないということの説明が付く。

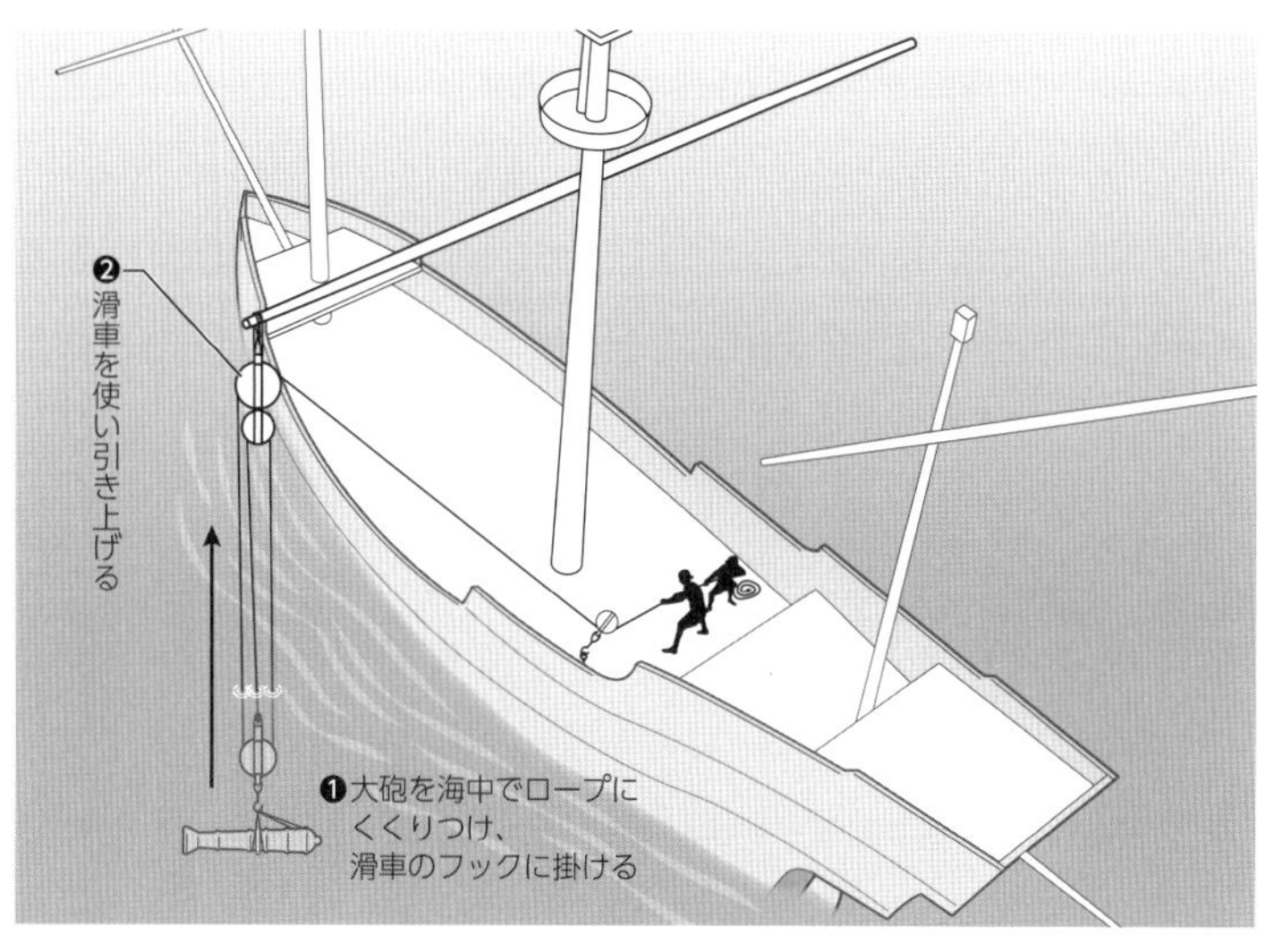

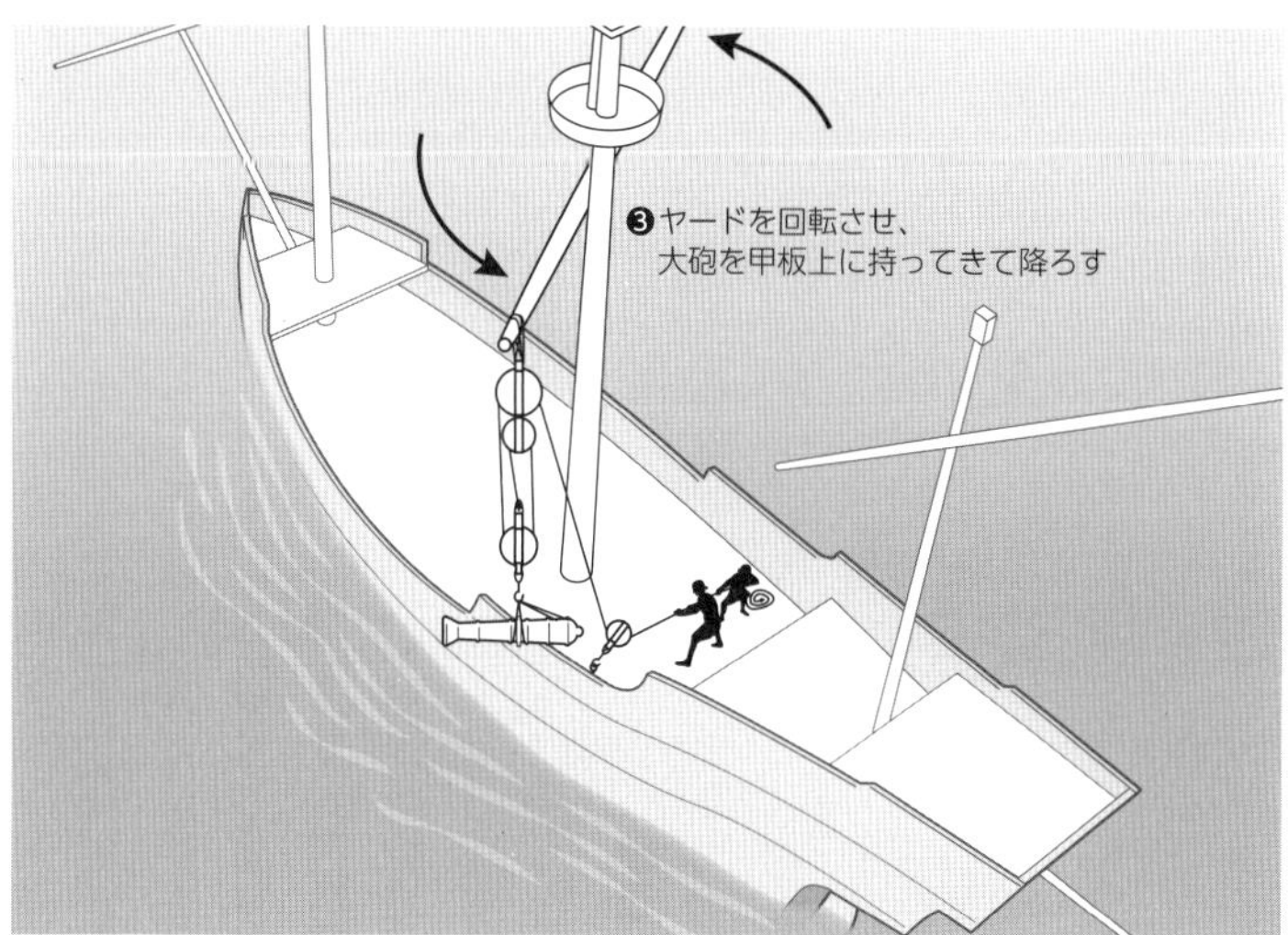

ヤードを利用した引き上げ

さらに残る謎はキャノン・サイトから、50m離れたところに残されていた全長1.5mの錨だ。この地点の水深は1mしかない。このサイズの錨を積んでいた帆船が行こうとしても、水深が浅すぎて座礁の危険性がある。

つまり、船の誰かがわざわざ小型船に乗って錨を運んで降ろしたことになる。

当時の帆船は通常4本の大型の錨を乗せていた。少ない場合でも2本の錨は必ずあったはずだ。錨は車で言うところのブレーキに当たり、錨を積んでいない船などありえない。

船をその場にしっかりと留めておくため係留は2本の錨を使うことが多い。船の船首の右舷と左舷からそれぞれの方向に錨を降ろし、錨のケーブルを巻き上げてピンッと張ることにより、船を2本の錨の中央地点に停泊させることができるのだ。

しかし、今回、錨は1本しか見つかっていない。その錨と海底に残された大砲の位置から船体のあった場所を推測すると、もう1本の錨は沖の方に離れた位置に降ろしていたはずだが、見当たらない。

ここで1710年に沈んだデンマークの奴隷船の1隻であるクリスチャニス・クインタス号の記述を思い出してもらいたい。「船員達を降ろした後で、錨ケーブルを切断して座礁させた」とあった。船員達は飛び降りたのではなく「降ろされた」のだ。細かい言葉の違いだが、とても重要である。18世紀当時、ヨーロッパ諸国では、帆船の船員でも泳ぎの上手い者は少なかったという時代背景も考慮したい。学校で泳ぎなど習わない時代だったからだ。船員達が「降ろされた」というのが、海に飛び降りて岸まで泳いだ、とは考えにくい。恐らく小型船に乗り換えたのであろう。

船員達が避難した後、このような形で係留されている帆船を確実に座礁させようとしたら、どうしたらいいだろうか？

そう、「沖の方向に投錨している」錨のケーブルを切断すればよいのだ。

もし岸に近い方の錨のケーブルを切断したら、船は、水深が深く、障害物の少ない沖方向に流れていき、なかなか座礁しない可能性がある。確実に短期間で座礁させるためには、沖の方の錨ケーブルを切断するのだ。そうすれば係留が解け、船が浅瀬に座礁してバラバラになる。つまり不自然に岸に近い浅瀬に降ろされた錨は、船を意図的に座礁させるためだと考えたらクリスチャニス・クインタス号の歴史記述と完全に一致する。

これらの状況を考慮すると、この2つの沈没船が1710年に沈んだデンマーク奴隷船の「クリスチャニス・クインタス号」と「フレデリカス・クインタス号」である可能性が極めて高くなる。

ついに船の正体を解明

私の説明が進むにつれ、話を聞いていたコスタリカ人の多くは絵に描いたような「ポカーン」とした表情をした。しかしその後、徐々に彼らの眼がどんどん輝いていったのを私ははっきりと見ることができた。

私は、作成したブリック・サイトのデジタル３Ｄモデルを使いながら、こう言った。

「恐らく積み荷としてのレンガは未だに手つかずのまま埋まっているでしょう。そのレンガの下には、カリブ海で珍しいほどの保存状態で船体木材も残っていると考えられます！」と伝えた。

大人達は笑顔で、少年少女達は声を上げて喜んでくれた。

翌朝、私はアンドレアスとコスタリカの研究者達に「必ずまた戻る」と約束して帰路に就いた。

数日後、アンドレアスから1本の連絡があった。今回の私達の調査結果から、この2隻の沈没船がクリスチャニス・クインタス号とフレデリカス・クインタス号である可能性が高いとコスタリカの文化庁が納得し、引き上げたレンガをデンマークの研究機関に送る許可が出たという。

そして半年後、2020年の春頃に、レンガの化学分析の結果が届いた。レンガは紛れもなくデンマーク製だった。

これで正式にカウイータ湾の2隻の沈没船は1710年に沈んだデンマークの奴隷船、クリスチャニス・クインタス号とフレデリカス・クインタス号であることが証明された。

長年、「海賊船」だと言われていた2隻が、コスタリカ人のルーツを物語る重要な船だと、やっと解明することができたのだ。

第7章　バハマのリゾートでコロンブスの影を探せ

嫌な予感

そこは驚くほど美しい場所だった。

ごみ1つ落ちていない純白のビーチ、その目前に広がるエメラルドブルーの海。

ハリウッド映画でもこれほど美しい場所を見たことはない。コスタリカの密林とは正反対の風景が広がるバハマの孤島のリゾート地、ハイボーン・ケイ島こそが今回の発掘の舞台だ。

バハマは、キューバの東側とアメリカのフロリダ州を南北に繋ぐように点在する島々で構成される国だ。カリブ海の出入り口でもある。夏には多くのアメリカ人が休暇を楽しみにやってくる。日本人にとってのグアムやサイパンのような位置づけだと言えば分かりやすいだろうか。

首都ナッソーのあるニュープロビデンス島にはアメリカ資本の巨大リゾートホテルが立ち並んでいて、巨大テーマパークのような光景だ。

このニュープロビデンス島から60㎞程離れた所にあるのが、ハイボーン・ケイ島である。

１９６５年、この島の沿岸でレジャーダイバーによって大航海時代初期のスペインの沈没船が見つかった。ただ、発見直後、トレジャーハンター達に荒らされ、多くの積み荷が持ち去られてしまった。

その後20年以上もの間、この沈没船の存在は忘れ去られていたが、１９８３年にテキサスA&M大学のチームによって1週間だけ、現地調査が行なわれている。この時は船体の調査が充分には行われなかったが、銃や小型の大砲が発見されており、それらの形状からこの沈没船が16世紀初期の船であることが分かった。コロンブスの最初の航海後の沈没船の中でも、かなり初期の船になる。

今回の調査の目的は、船体全体を発掘し、海底に埋まっている沈没船の構造を調べることである。

私が首都ナッソーに到着したのは２０１７年の7月末だった。他のチームメンバーは1カ月前に現地入りし水中発掘を始めていたが、私は、グアム大学で水中考古学フィールドスクールの講師の仕事が入っていたので、合流が遅れたのだ。

ハイボーン・ケイ島でのプロジェクトリーダーのニックは、私にとって大学院の後輩にあたる。彼が博士論文のテーマとしてこの沈没船の調査に乗り出したのだ。私は久しぶりの大学院時代の友人達と行う水中発掘プロジェクトを、とても楽しみにしていた。


ナッソーからハイボーン・ケイ島には、1週間に1回だけ、マリーナに唯一ある売店とレストランに物資を運ぶための物資補給船が出る。それに乗って島に向かうことになっていたが、船が出るまで3日ほどあったので、ホテルでのんびり過ごすことにした。

ちょうど同じタイミングで、プロジェクト開始当初から島で発掘に参加していた私の親友ロドリゴと、ロドリゴの奥さんで文化人類学者のサミーラがナッソーにいた。ロドリゴは、この時、ウルグアイの大学で新たに開設された水中考古学プログラムで教授になっていた。新学期の準備のために一足早く帰らなければならず、私とは入れ違いだ。

島でのプロジェクトの進み具合について聞いてみると、彼はため息をついた。

「予定より、かなり遅れているよ」

経験豊富なロドリゴがいながら予定通りに進んでいないなんて、天候がずっと悪いのか？

それとも事故でもあったのか？

そういぶかる私に、ロドリゴは言った。

「すぐに自分の眼で確認できるよ」

セレブを横目に発掘スタート

3日後、ロドリゴの言葉を思い出しながら、物資補給船に乗り込み、6時間かけてハイボーン・ケイ島に到着した。

夏の島にはバケーションのためにクルーズ船でやって来るセレブ家族か住み込みで働いている少数のバハマ人しかいない。そして、おとぎの国のようなビーチが広がっているのだ。世界各地の美しい場所で水中発掘プロジェクトに参加してきたが、海と砂浜の美しさで言ったら、このハイボーン・ケイ島が一番だと思う。真っ白な砂浜は小さな島の中に7カ所ほどあり、全てプライベートビーチのようだった。それぞれのビーチには日除けのできるテラスが建っている。


セレブ一家が、ゆっくりとバカンスを楽しんでいる横で、発掘調査が進められていた。

翌日から、私も沈没船の発掘現場に潜ることになった。

島の北東にある小さなビーチから小型ボートで北に500mも行かない場所に、発掘チームがチャーターしたダイビングボートが停泊していた。発掘期間中、チームメンバーの半数にあたる7人がこのボートに寝泊まりし、残りの8人が島のコテージに宿泊していた。ボート内で空気タンクの補充も可能だったので、とても便利だった。

ハイボーン・ケイ沈没船が埋まっているのは、水深5mでとても浅い。

私は、さっそく機材を装着し水に飛び込んだ。地中海でのプロジェクトと違い、水温は温水プール程だったので、水着で潜ることができる。

水は驚くほど綺麗だ。透明度は50m近くあるかもしれない。海底もとても美しい。水深が浅いので太陽光がよく差し込み明るい。海底にちらほらと珊瑚の集まった場所が見られる。海底は本来、ビーチの砂と同じ白色だろうが、それが水の色と同じく、綺麗なパステルカラーの青色に染められている。まるでファンタジーの世界の中にいるようだ。

視線を落とすと、海底に6m×3m程の岩の塊が見えた。船の重心を安定させるため、船底に積まれていた「バラスト」という重しだ。鮮やかな熱帯魚達がその周辺に集まっている。

私がバハマに到着する頃にはバラストは取り除かれ、下に隠れている沈没船の船体構造が露出しているはずだった。それなのに……。ロドリゴから話は聞いていてはいたが、少し驚いた。本当に、全く発掘が進んでいなかったのである。

発掘の遅れの理由

ニックに事情を聞くと「三辺測量」が上手くいっていないのだという。

これは、水中考古学において基本的な測量方法だ。

水の中の作業となる水中考古学の現場では、GPSや、角度と距離を測るトータルステーションといった機器を使用することができない。

これが陸上の考古学だったら致命的だ。陸上で古代の集落跡を発掘した場合、どこに居住地があり、どこに田畑や水路があったのか、周りの川や山などの地形と集落はどのように関係していたか、といった「遺跡とその周りの環境との繋がり」は、発掘後の分析研究で極めて重要になってくるからだ。

一方、沈没船遺跡の場合は、周囲の環境との関係性はそこまで重要ではない。なぜなら、船はそこにずっとあったわけではなく、偶然、その場に沈没したからだ。

むしろ沈没船発掘では「沈没船の中のどこから、どんな積み荷が見つかったか」が、分析研究では重視される。腕輪や剣など、高価な個人の道具は船長や幹部の乗っていた船尾付近、重い積み荷は船底の中央付近と、積み荷の種類や重さによって、その出土位置から船の全体像をつかむことができるからだ。

そのため、沈没船の発掘現場では、船個体の中での座標を作成する必要性がある。例えば、沈没船の船首部分の座標（x、y、z）を（0、0、水深）と設定し、そこを基準に船の中心にあったキールに沿ってy方向に基準線を設定する。すると、船の内部の位置関係を、全て座標で表現することができるようになる。

この水中沈没船遺跡での「局地的座標」を作成するために90年代に開発されたのが水中考古学に特有の三辺測量なのだ。

しかし、これがとにかく面倒で、しんどい作業である。

まず水中遺跡のまわりを取り囲むように、いくつもの基準点を設置する。海底に棒を立てて固定して、その棒の上端に基準点を設定することが多い。範囲の広い沈没船遺跡で三辺測量を行う場合は、基準点を何十カ所も設置しなければならない。ハイボーン・ケイ沈没船の場合、沈没船そのものと、そこから散らばった遺物を含めた範囲は20m×8mほどだったので、必要な基準点の数は8～10カ所といったところだった。

しかも、海底は平坦ではないので、基準点をある程度高く設置しなければ、基準点同士の距離を正確に測ることができない。

これらに注意して沈没船遺跡周辺に基準点を設置した後、ようやく測量を開始できる。これも同じ作業の繰り返しだ。なぜなら、1つの基準点につき、最低でも4カ所の別の基準点との間の距離を測量しなければならないのだ。これを、それぞれの基準点を起点として繰り返す。そして数値をコンピューター上で専門のソフトウェアに打ち込む。するとソフトウェアがそれぞれの基準点の局地的な座標を割り出してくれるのだ。

これでようやく、先ほど言った「船の内部の位置関係を、全て座標で表現することができる」ようになる。チマチマした作業の途方もない積み重ねなのだ……。

私が到着した時点でのハイボーン・ケイ沈没船の発掘作業では、第一段階の土台となる基準点の座標を確立することさえできていなかったので、発掘に取り掛かることができなかったのだ。

ハイボーン・ケイ沈没船の場合、この三辺測量を行うにあたって問題は2つあった。

1つは海底の地盤が固かったことだ。沈没船遺跡周辺は砂が10〜30㎝程堆積していたが、その下は岩盤だった。そのため、基準点を設置するための棒をしっかりと打ち込むことができていなかった。土嚢(どのう)を積むことでかろうじて基準点を固定していたが、それでもしっかりとは安定していない様子だった。

もう1つの問題が潮の流れだ。バハマはカリブ海の東端に位置し、この海の玄関口になっている。潮の満ち引きに合わせ、大量の海水がここを通って大西洋とカリブ海を出入りする。その上、バハマの周辺は水深が浅く、潮の流れは恐ろしいほど速かった。巻き尺のテープが流され、正確に基準点間の距離が測れないことは容易に想像できた。

その日の夕方、私はニックを呼び出し、三辺測量を即座に中止するように進言した。三辺測量は、もし1カ所でも計測の数値が間違ったら、それが全体に影響を及ぼし、正確な座標が取れない。それに基準点間の測量だけでも100を超えることもざらで、ミスを一度もしないようにするには、ある程度の作業経験が必要なのだ。熟練のダイバーが数人参加しても、4~7日ほどの作業時間がかかる。正直なところ今作業を行っているチームメンバーは若く、水中作業の経験が乏しい。このロケーションで完璧に測量するのは不可能に思えた。

私も2011年に三辺測量を学び、それ以降、水中遺跡の測量に使用してきたのだが、この方法はとにかく時間がかかり過ぎる。

その不満解消のために考案したのが、第4章で紹介したスケールバーを遺跡に設置する方法なのである。スケールバーを使えばミリ精度で寸法を与えることができる。

また、作成された3Dモデル上に3点の基準点をソフトウェア上に設定し、その間の距離を測れば三角形を作成することができ、あとはその三角形を基準点の水深に沿って傾け、水中遺跡の局地的な座標を3Dモデルから取り出すこともできる。しかも水中で必要な作業は、スケールバーを3カ所以上に置き、その深度を測るだけだ。三辺測量の数百分の一の労力で、三辺測量よりも正確な局地的な座標を作成することができる。

私はニックにこの方法を詳しく説明し、しぶしぶながら三辺測量を中断させることができた。彼としては1カ月近く費やしてきたので苦渋の選択だったたであろう。すまん、ニック……。

翌日の午前中、私が局地的な座標を作り出し、午後からようやく水中発掘を始めることができた。

発掘チャンスを逃すな

毎日の発掘が進み、徐々に船体が見えてきた。

だが、私達の前に速い潮流が立ちはだかる。一番早い時は、足ひれをつけていても流れに逆らって泳ぐのが不可能になるほどだった。メンバーの1人が流されて小型ボートで救助されることもあった。

そこで利用したのが「潮止まり」だった。

潮流というのは6時間に1回の割合で満ち引きが変わる。そして、その変わり目の30分間だけ流れがウソのようにピタッと無くなる。これが「潮止まり」だ。この30分を狙ってフォトグラメトリを行うのである。6時間に1回、つまり日の出ている時間に2回ある潮止まりの時間を、60km離れたナッソーの潮流予報から計算し、それに合わせて潜る。

この方法が上手くいき、ハイボーン・ケイ沈没船では2日に1回の割合でフォトグラメトリの3Dモデルを作成した。その3Dモデルから最新の実測図を作成し、作業ダイバーは2日に1回刷新される実測図を手にしながら発掘をすることができた。

積み荷の出土位置の記録が楽になり、当初予定していた船体フレームの引き上げこそできなかったが、船体の残存部分ほぼ全てを露出させるところまで漕ぎつけた。私達が当初考えていたよりも海底には砂が堆積しており、そのおかげで木材の保存状況もよかった。特にキール（竜骨）は全長が把握できるほど、船体構造も船底左舷側の形状が分かるほど残っていた。これにはニックを始めチームメンバーも大喜びだ。

なぜ、そこに穴があるのか

発掘されたハイボーン・ケイ沈没船の船体構造は、とても美しかった。

数ある船の中で、私は16世紀のスペイン・ポルトガル船が一番好きだ。この時代、ヨーロッパ人達は大洋を超え、世界中に散らばっていた文明を一繋ぎにした。俗にいう大航海時代だ。それを可能としたのが、時代の最先端の技術を集結して造られた「船」である。

ハイボーン・ケイ沈没船の木材は典型的な「大航海時代の船」だった。特徴的なのは船の一番底にある「マストステップ」だ。これは、船に備わる3本の帆のうち、最も大きく、一番風を受けて船の推進力としての役割を果たすメインマストを受け止める台座のことを指す。

船の構造を今一度おさらいすると、まず、船は「背骨」であるキールがまっすぐ全体を貫

発掘されたマストステップ

いている。そこに、船を形づくる「フレーム」があばら骨のように、垂直にかっちりとはめ込まれている。この「フレーム」の上に、キールと同様、まっすぐな材木を配置することがある。これは、キールを補強するための「キールソン」（内竜骨）と呼ばれるものだ。フレームを、上からキールソン、下からキールでサンドするような形になる。

大航海時代の船は、このキールソンの中央部がマストステップになっている。いうなれば、まっすぐに船を貫く骨の中央部分に、ボコッとこぶがあるような形だ。そしてそのマストステップの端の片側に「穴」があるのが、この時代の船の特徴だ。

マストステップは船の構造の中でも超重要部位だ。そこを削って穴を開けるだなんて、

「おいおい、何をやっているんだ！」と言いたくなる気も起こるが、この穴には大切な役割があったのである。

ここに排水用のポンプ（ビルジポンプ）を設置していたのだ。

マストの少し後方、ちょうどマストステップの穴が開いている場所は船体の中央部に当たる。ここは、船体の内部構造で一番位置の低くなる場所だ。そこに水が集まるため、超重要部位の一部を削ってまで排水ポンプを設置したのである。このポンプは甲板まで伸びていて、今でいう手押し井戸のように、ハンドルを押し下げると、船の底にたまった水を排出できるようになっていた。

「たかが排水のため？」と思うなかれ。船体内部に侵入した水の排水は、船の歴史上、常に命の危険に関わる最重要問題である。船内に水が溜まれば、沈没は免れないからだ。

特に船が大型化してくると、バケツを使って船底に溜まった水を排水するのは難しくなり、ビルジポンプが設置されたのだ。

大航海時代の船乗り達も航海日誌に「ポンプが完全に壊れてしまったら、いずれ船が沈んでしまう」と書き残している。私も、とても重要な部品だと頭では理解していた。しかし、実際にマストステップを削ってまでビルジポンプを船の一番低い場所に設置したのを目の当たりにすると、彼らが外部に助けを求めるのがほぼ不可能な大洋での航海に、どれほどの恐

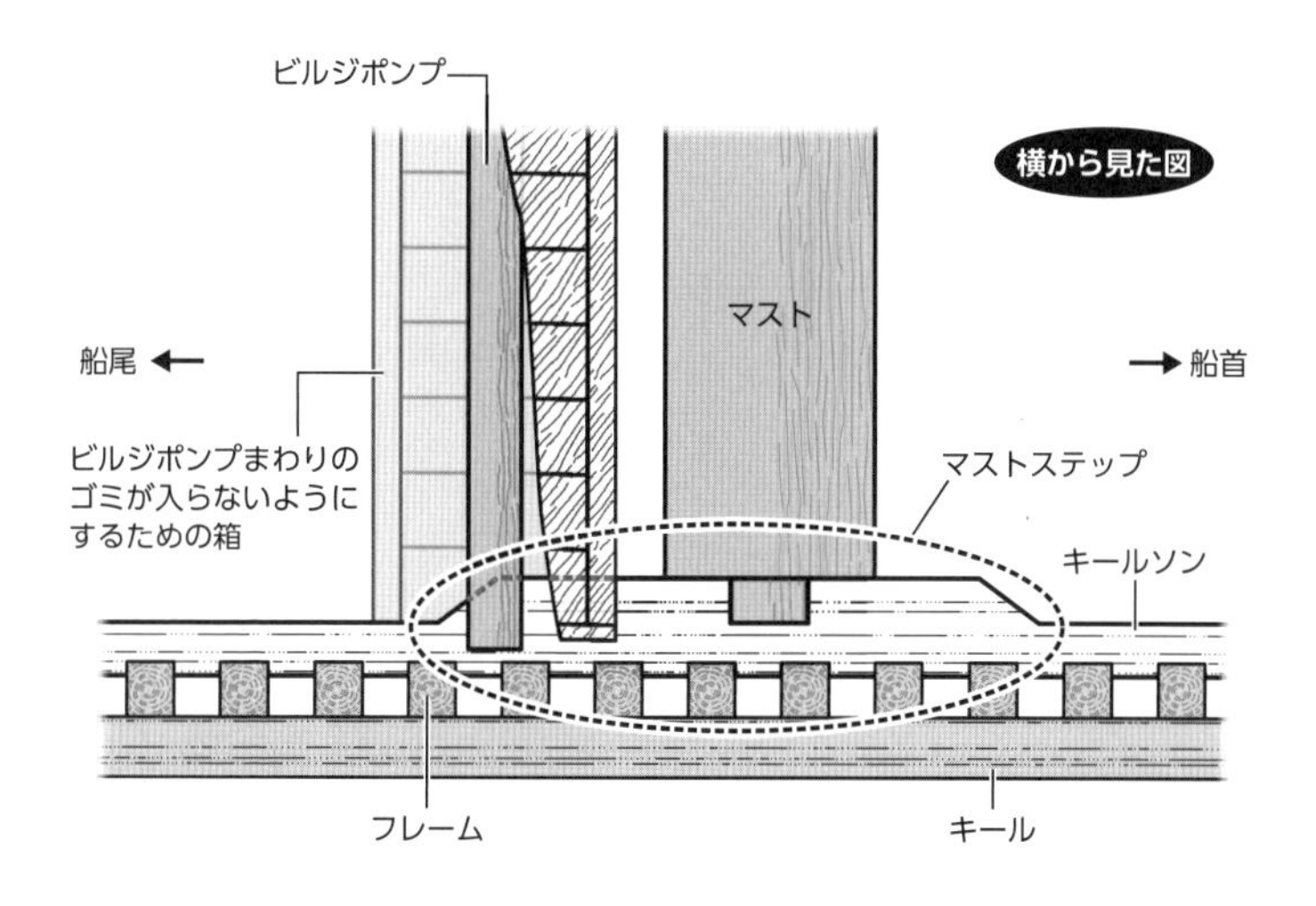
ビルジポンプ
横から見た図
マスト
船尾
船首
ビルジポンプまわりの
ゴミが入らないように
するための箱
マストステップ
キールソン
フレーム
キール

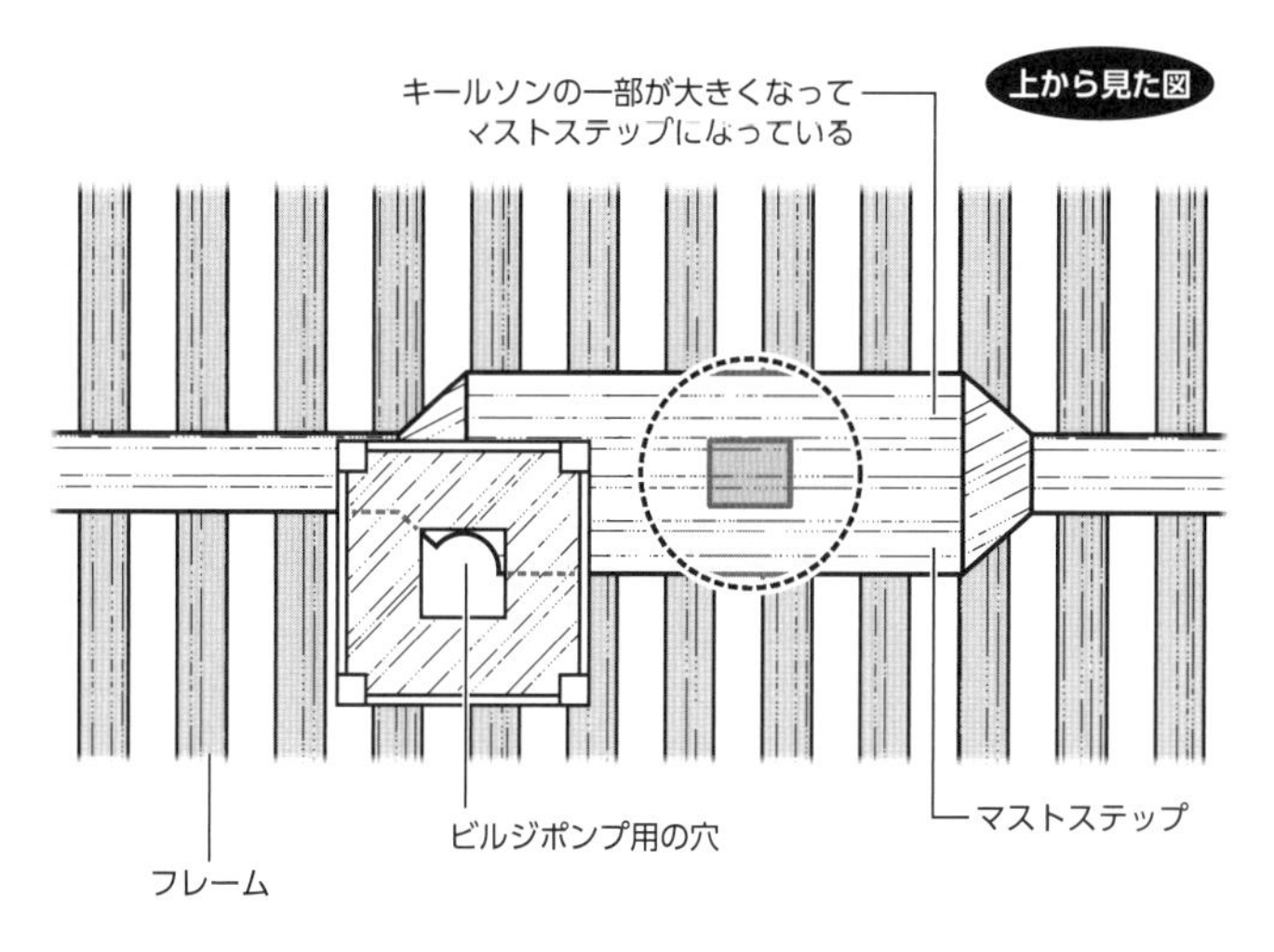
上から見た図
キールソンの一部が大きくなって
マストステップになっている
ビルジポンプ用の穴
マストステップ
フレーム

怖心を抱いていたのかを思い知らされる。

キャラック船とキャラベル船

私が参加した２０１７年の発掘調査では、とても興味深いことが分かった。

通常私達が16世紀のスペイン船とポルトガル船の発掘を行う時、その船は「キャラック」というタイプの帆船である可能性が高いと推測したうえで調査する。追い風を受けてスピードの出る横帆と、操縦のための縦帆の両方を採用したまま船体の大型化に成功したキャラック船は、大量の物資の輸送を可能とし、船団をなしてアメリカ大陸への航海に利用されていたと16世紀の歴史資料が示しているからだ。

１５８０年にキャラック船の設計図が出版されており、現代でもその構造を知ることができる。読み解いてみると、船体のフレームの形状こそ複雑なものだが、船の全長や最大幅などの大まかな形状にはシンプルな「比率」が使われていた。例えば「船の最大幅は、キール（竜骨）の全長の⅓」、「船底部の幅は、甲板部の½から⅓」という感じだ。

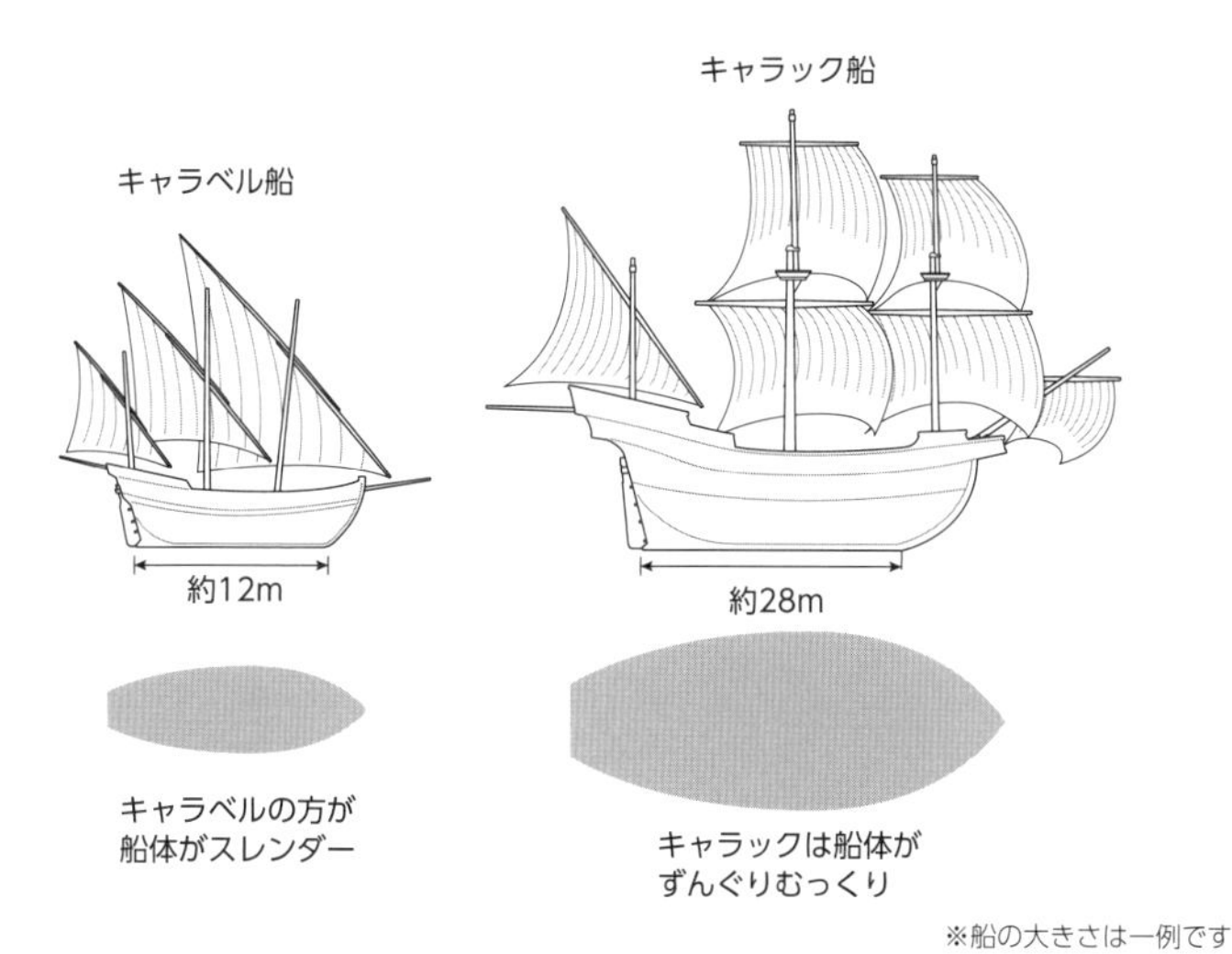

キャラベル船とキャラック船の図

しかし、ハイボーン・ケイ沈没船はキャラック船の形状よりもわずかに幅が狭く、スリムな船体であることが明らかになった。発掘された竜骨の全長に対して、保存されていた船底左舷部のフレームの長さ（船幅）が短く、比率が合わなかった。

これは、この沈没船が「キャラベル船」というタイプの船である可能性を示す。

キャラベル船は、キャラック船よりも数世紀前に地中海で生まれた。特に15世紀前半から末、つまり中世から大航海時代初期にかけて活躍し、3本全てのマストに三角帆を携えていた（ただ16〜17世紀になると、前方のマストに横帆を備えるようになる）。

キャラベル船は、現代のヨットのように、三角帆が船首から船尾に向けて、縦方向に3

本備わっており、逆風に向かっても航行できる。とても操縦性に優れた船で、主に地中海の短距離間の航路で使われていた。地中海での航海は、主に沿岸近くのものになる。地形によって陸地から吹く風の向きもよく変わる。そのため、座礁しないように走力よりも操縦能力が重視されていたからだ。

ただ、三角帆は追い風時に走力が出にくい。そこで、3本の帆のうち、前方（フォアマスト）と真ん中のメインマストに四角形の横帆を採用し、走力をアップさせたのがキャラック船だ。大西洋やインド洋、そして太平洋など、長距離の大洋の横断が主な航路となったコロンブス以後の世界では、キャラベル船に代わり、キャラック船がスペインとポルトガル船団の主軸となった。

コロンブスの船のデザインまであと一歩

実は、キャラベル船の設計図は未だ見つかっていない。造船技術は親方から弟子に修業と経験をもって伝えられ、船の設計図を書くという概念は船大工の間では存在しなかったからだ。大航海時代が到来し、造船が重要な国策となり、初めて設計図という形で造船技術がまとめられるようになったのはキャラベル船の活躍が終わり、キャラック船全盛期の1580年以降だった。そのため、キャラベル船の構造の詳細は謎に包まれている。

１４９２年のコロンブスの船団は、サンタ・マリア号、ピンタ号、ニーニャ号の３隻の船を擁していた。サンタ・マリア号はキャラック船、ピンタ号とニーニャ号は当初キャラベル船として建造されている（しかしピンタ号は１４９２年の航海直前に、ニーニャ号は新世界に到着したタイミングで、メインマストの帆を三角帆から横帆に取り換えていた）。

今後の発掘研究でハイボーン・ケイ沈没船のフレームが引き上げられ、船体をよりしっかりと調査すれば、コロンブスが最初の航海で使用したキャラベル船、ピンタ号とニーニャ号の設計が分かるかもしれない。

ハイボーン・ケイ沈没船の水中発掘プロジェクトは、私が参加した２０１７年の後、一時中止になっている。２０１８年以降は水中発掘を行う資金を集めるのに苦労している状態だ。一体、どんな船が「新世界」にたどりついたのか。１日も早くその全貌を知りたい！

第8章　ミクロネシアの浅瀬でゼロ戦に出会う

戦争と水中考古学

日本、サイパン、グアム、ミクロネシア連邦、そしてオーストラリア——。近年これらの国々で重要視されている研究対象がある。

太平洋戦争で沈んだ船舶や航空機といった水中戦争遺跡の保護だ。

２０４５年には戦後１００年を迎える。それまでに水中戦争遺跡の保護をしよう、と太平洋各地で様々なプロジェクトが立ち上がっているのだ。

実は、水中考古学の世界の中では、20世紀の戦争遺跡を専門とする船舶考古学者、海事考古学者は極めて少ない。決して避けているわけではないが、研究者は私も含め、「船や水没遺跡にまつわる、これまで知られていなかったことを知りたい！」という衝動に駆られている。だから設計図の存在することが多い20世紀の船舶は研究対象になりにくいのだ。しかし「近代史の歴史学者」で水中に潜れる人物が少ないので、水中作業の経験豊富な水中考古学者達が、水中戦争遺跡保護活動の役目を引き受けている。

この章では私がコバルトブルーの美しい太平洋の島国・ミクロネシア連邦で経験した水中戦争遺跡に関わるプロジェクトについて紹介したい。私自身、それまで知らなかった歴史に触れた日々だった。

チューク諸島と日本の歴史

ミクロネシアとは、グアムやサイパンがあるマリアナ諸島、ギルバート諸島、マーシャル諸島、そしてパラオやカロリン諸島といった国や地域の総称である。

ミクロネシア連邦はその中の1つの国だ。ポンペイ州、ヤップ州、コスラエ州、そしてチューク州の4州から構成されている。「チューク州」「チューク諸島」という名前には馴染みが無いかもしれないが、「トラック諸島」と聞けば日本史の授業で出てきたのを、何となく覚えている人もいるのではないだろうか。このチューク諸島が、今回の現場だ。

チューク諸島は珊瑚礁の島々が輪っかのように縁取る「環礁」の内に浮かぶ約250の島々だ。環礁の外縁部を含めた面積は93㎢。これは山手線の内側（約63㎢）の1.5倍ほどの大きさだ。総人口は2010年の国勢調査の時点で約3万6000人とある。

人々の暮らしは日本に比べたら質素だが、それを「貧しい」という言葉で表すのは正しくない。「あまり外部の影響を受けていない」という方がしっくりくる。チューク諸島の中心となるウェノ島には、私が到着した国際空港もあり、ホテルも5つほど建っている。ただ、道路が舗装されているのはこの島の東側のみで、それ以外の場所の道路は雨が降るとよく冠水している。緑の山とコバルトブルーの海に囲まれた景色はとても美しい。飛行機の窓やウェノ島の山から見下ろすと、息を飲むほどだ。色が濃く、生き生きとしている。

チューク諸島を含んだミクロネシア連邦の島々には、2000年前にはすでに人が住んでいたとされている。1528年にスペイン船がやってきて、属州にさせられた。この時にスペイン語で山を意味する「トラック」と名付けられたのである。

1899年にドイツへ属州として売られ、第一次大戦でドイツが敗戦すると、日本の委任統治領となった。第二次大戦後はアメリカの信託統治領となっていたが、1986年にようやくミクロネシア連邦として独立。その時に、諸島の名前も現地の言語で「山」を意味する「チューク」と改名した。

スペインによって「発見」されて以降、歴史に翻弄されてきたミクロネシア連邦には、太平洋戦争時の船舶や航空機が多数海底に沈んでいる。

中でもチューク諸島は沈船ダイビングのメッカとして知られており、アメリカやヨーロッパ諸国、そしてオーストラリアやニュージーランドから毎年数多くのダイバーが訪れてくる。

ここで少し日本とチューク諸島の歴史を紹介したい。なぜ、チューク諸島に戦争遺跡が多いのか、ということに関わってくるので、少々お付き合いいただきたい。

1914年に日本の統治下となったチューク諸島は日本からの入植者も増え、1934年頃には現地民約1万人に対し、日本人は約1万7000人も住んでいたとされる。

1941年、太平洋戦争が開戦すると、太平洋のど真ん中にあるチューク諸島は大日本帝国海軍連合艦隊の重要な拠点となった。当時世界最大の戦艦だった「大和」と、その姉妹艦の「武蔵」も停泊していた。

しかし、1944年2月10日、アメリカ艦隊のチューク諸島沖への接近を察知した日本海軍は、海軍の主力艦のほとんどをパラオに後退させた。そのため民間から徴収された補給船と輸送船がこの諸島に残されたという。

日本海軍が撤収してからわずか1週間後の2月17〜18日、連合艦隊による集中爆撃「オペレーション・ヘイルストーン」が開始された。主力艦隊がすでに撤退していた諸島の施設は防御も薄く、ほぼ無防備の状態で爆撃を受けた。その後も日本軍の補給基地だったチューク諸島は、日本軍がポツダム宣言を受諾し無条件降伏するまで何度も襲撃を受けた。落とされた爆弾の総量は６８７８トン。18カ月間の攻撃で、日本側は52隻の船舶と約４００の航空機を失ったとされている。日本人の死者は５０００人、そのうちの４０００人が船と共に海に沈んだと言われる。

これだけ美しい島が、そんな目にあっていただなんて……。私自身、初めて知ることばかりだった。

これらの戦争遺跡のほとんどが、今でもチューク環礁内の海の中に沈んでいる。大型船舶や一部の航空機が、チューク諸島における沈船ダイビングの人気ポイントとなっているのだ。日本からも以前はチューク諸島で亡くなった日本兵の遺族の方が慰霊に訪れていたが、遺族の方々の高齢化も進み、ここ10年はめっきり数が減ったそうだ。現地で観光ガイドも行っている日本人の方の話では、近年ではダイビング目的がほとんどで、遺族の方や陸上にある遺跡への慰霊訪問は1カ月に数人いるかいないかだそうだ。

水中文化遺産を守れ

太平洋戦争時の日本軍と連合国軍の水中文化遺産を見るために世界中からやってくる沈船ダイバー達は、ミクロネシアの観光産業の重要な収入源だ。

また、世界遺産に登録されているナン・マドール遺跡といった水際にある重要な文化遺産も、地球温暖化の影響で水没遺跡となりつつあった。そのため、ミクロネシア連邦は水中文化遺産の保護に力を入れ始めたのである。その一環として、２０１８年にユネスコ水中文化遺産保護に関する条約に批准した。

これは、トレジャーハンターの活動を取り締まるためにユネスコが２００１年に作った国際的な条約だ。

この条約の原則は、海から引き上げた文化遺産の商業的利用、つまり売却を禁じるというものだ。さらに海洋考古学者を自称するトレジャーハンターに対抗するため、水中文化遺産の「原位置保存」の推奨を明記した。そして水中文化遺産の定義として「水中に１００年間沈んでいる人工物」とした。逆に言えば、２０２０年時点ではまだ沈没後１００年経っていない第二次世界大戦時以降の水中戦争遺跡はこれに含まれない。

１００年経つまで保護しなくても良いのだろうか？　といった問題点や、日本やアメリカなどは未だに批准していないという嘆かわしい現状は確かにあるが、幸運にもこの条約は水中文化遺産の扱いに関するガイドラインとして機能しており、批准している・いないにかかわらず、水中考古学者や水中文化遺産の研究を行う研究者達は、この条約に従い水中文化遺産を守っている。

ミクロネシア連邦の各州にはHistoric Preservation Office（歴史保存局、以下、HPOと表記する）という、日本の自治体の埋蔵文化財課にあたる部署が配置されている。彼らは陸上の遺跡や歴史的建造物の管理には慣れているが、水中の遺跡や文化遺産の保護を行ったことはなかった。

そこでユネスコからの依頼で、グアム大学のオーストラリア人水中考古学者ビル・ジェフリー教授を顧問として、チューク諸島で水中考古学フィールドスクールを開催することになった。説明が遅れたが、このスクールに私も講師として招かれたのだ。

兄貴のような教授

今回のフィールドスクールのトップ、ジェフリー教授は私よりも2週間程前に現地入りしていた。彼は60代半ばで、太平洋地域における水中考古学の権威として知られている。もともと、オーストラリアの州政府で水中文化遺産の研究を行っていたのだが、20年ほど前、チューク諸島のＨＰＯでインターンとして働いていた経験がある。そこから、オーストラリアのみならず、太平洋に眠る水中戦争遺跡の調査にも関わり始めたという。

とても気さくで、はつらつとした人物だ。水中調査プロジェクトの時もいつも潜水作業を行い、常に現場の最前線で働いている。初めて会ったのは確か２０１４年、ハワイで行われた水中考古学の国際学会のはずだったが、どうやって仲良くなったのか覚えていない。いつの間にか学会で顔を合わせるたびに一緒にお酒を飲む仲になっていた。おそらく最初に仲良くなった時もお酒を飲んでいたから覚えていないのであろう。年齢的には私の父と同じぐらいなのだが、父親というよりは兄貴といった感じだ。ビリヤードがすこぶる得意で、私は一度も勝ったことが無い。

「年をとっても、こうありたい！」と尊敬する人物の１人だ。

金属製の船はどう朽ちる？

この章で紹介する沈没船には、大きな特徴がある。それは「金属製である」ということだ。

本書でこれまでに説明してきた古代から19世紀頃までの木造船は、「海底に埋まった箇所」

こそ良好な保存状態で残るが、表面に露出している部位は数カ月から数年で朽ちてしまう。
それに対し、水中戦争遺跡に代表される金属製の水中遺跡は腐食が遅い。海中に露出した状態でも数十年は形状が保たれる。また、同じ金属製の戦争遺跡でも、陸上に残されたものは、丁寧な保存処理をされない限りは、酸素の影響をモロに受けて酸化し、とっくに錆び、完全に朽ちてしまっていることがほとんどだ。そのため、水中の戦争遺跡は貴重な歴史的資料なのである。

しかし水中にあるからといって、船体の崩壊が全く進まないわけではない。魚がエラ呼吸できるように、水中にも少なからず酸素は溶け込んでいる。これらが金属と反応して、酸化してしまう。一度酸化した金属は、ボロボロになって強度を失い、やがて自重により崩落してしまうのだ。

酸化する速度は鉄製の船舶遺跡が早く、アルミ製の機体を持つ航空機遺跡は腐食が比較的遅い。しかし航空機遺跡でもネジやエンジン等の部品に鉄製のものも多く、これらの腐食が進むと、やはり自重により形状を保てなくなる。

また、1つの水中戦争遺跡でも部位によって腐食のスピードが違う。
まず水深や水温によって水に溶けている酸素濃度は異なる。一般的に、水深が浅く水温が高い方が濃くなる。また、水流の強いところでは水がより循環するために、水から受ける物理的なダメージと、酸化ダメージの両方が増える。そのため、甲板上にある艦橋や砲塔など浅い場所にあり水流の影響を受けやすい部位の腐食速度が特に早いとされている。

一方で珊瑚や藻など海洋生物が遺跡の表面に貼りつき生息すると、機体と海水との接触面が減り、腐食のスピードが遅くなる。

２００２年にジェフリー教授らオーストラリアの水中考古学者と保存処理の専門家チームが、チューク環礁内の水中戦争遺跡の保存状態を確かめる調査を行なっている。

この調査では、チューク諸島内に散らばる主要な水中戦争遺跡に沈没後形成された海洋生物の層と酸化鉄の層それぞれに直径３㎜のドリルで穴を開け、計器を挿入しpHレベルを測り、腐食の進み具合と速度を計算した。またその水中遺跡周辺の海中に溶けている酸素濃度と温度も水深ごとに測定した。

結果は、チューク環礁内の水中遺跡では、水深の浅い場所にある鉄製の水中遺跡は、２０１２〜２０１７年頃に金属の酸化が完了し鉄の部分が完全に無くなり、船体強度が格段に弱くなり自重による崩壊が始まる、というものだった。

この予想は正しく、地元のダイビングショップで働くダイバーの方々の話では、実際に２

015年頃から水深の浅い場所にある水中戦争遺跡で船体の崩壊が徐々に始まったという。

水中戦争遺跡の崩壊を遅らせるための作業にはお金がかかる。簡単な方法としては補強材で船体構造を支えたり、水中遺跡の金属の代わりに化学反応して腐食する亜鉛の塊を「犠牲材」として設置したりするものが考えられる。しかし全長100mを超えるような大型船舶の水中遺跡全体にこうした作業を行うには途方もない予算と時間が必要になる。何千万~何億円もの予算が必要になるであろう。

しかし、水中戦争遺跡の精密なデジタル3Dモデルをコンスタントに作成して定期的に観測すれば、水中戦争遺跡に起こっている変化を視覚化し、遺跡のどの部分にダメージが多いのかを数値化することができる。劣化の激しい部分が分かれば、そこを重点的に補強し、同じ予算でできるだけ多くの水中戦争遺跡の補強作業が可能になる。そこで私の出番がやってきたというわけだ。フィールドスクールでフォトグラメトリの技術を教える私が招集されたのである。

珊瑚の生息地になったゼロ戦

水中考古学フィールドスクールにはミクロネシア連邦の４つの州と、パラオやマーシャル諸島などの周辺地域のＨＰＯから10人の職員が集まった。それに加えオーストラリアと香港からも１人ずつ水中考古学者が研修として参加してくれた。

実習では２つの水中戦争遺跡を利用した。

１つ目は、水深８ｍ程のところに沈む零式艦上戦闘機だ。通称・ゼロ戦と言われた太平洋戦争の日本軍を代表する戦闘機である。私がＨＰＯ職員達に先立ち海に飛び込むと、すぐに戦闘機が見えた。全長は10ｍ弱で、翼幅はそれよりも少し長く11～12ｍ程であろうか、私が何となく頭の中で想像していたものよりも大きかった。機体はひっくり返った状態で沈んでいる。

とても幻想的だ。機体の中や、下に様々な枝珊瑚が森のように生えているのだ。まるで樹海に埋もれた戦闘機だ。

水中に沈んだゼロ戦。幻想的だ

水中に佇む戦争遺跡は、確かに何も知らなければ、廃墟のようで一見不気味に見えるかもしれない。しかし近づくと沢山の魚が住処にしているのだ。カラフルな熱帯魚が群れを成して泳いでおり、まるで水族館の水槽の中にいるような錯覚を覚える。チューク諸島の水中戦争遺跡を目当てに世界中からダイバーが集まるのも理解できる。

フィールドスクールで使用したもう1つの水中戦争遺跡を、私達は「小砲艦」という意味の「ガンボート」と呼んでいた。残存部分は全長10m程だ。とりあえずガンボートと呼んだのは、船体上部にかつては砲塔をはめ込んでいた穴（基部）のような構造が左右に2つあるからだ。当時の軍艦の砲塔は重力のみで基部にはめ込まれており、転覆時に外れることが多かった。ただ、船体の半分が金属劣化によって崩壊しており、実際のところどのような船舶だったかは分かっていない。
ガンボートが沈んでいる場所は水深は６ｍ程で浅い。潜るとすぐに美しい熱帯魚の大群が迎えてくれた。この水中遺跡も船体に沢山の珊瑚が生息しており美しい。

今回のフィールドスクールに参加したＨＰＯ職員は、皆この水中考古学フィールドスクールに参加するためにダイビングのライセンスを取ったばかりであった。しかしそこはさすがに海に囲まれたミクロネシアの若者だ。全員すごく泳ぎが上手い。普通、ダイビングのライセンスを取ったばかりの人は、慣れない機材と水中への恐怖感から、緊張した動きをするものだ。具体的に言えば「無駄な動き」が多くなる。

しかし彼らＨＰＯ職員はダイビング初心者なのに、熟練ダイバーのように水中でもリラックスして泳いでいる。幼い頃から海で泳ぐことに慣れ親しんでいたのであろう。泳ぐ前は「うまくできるかなぁ」と不安がっていたが、ガンボートの周辺を人魚のように泳ぎ回り、水中遺跡の表面を丁寧に写真撮影していた。

ガンボート。真ん中に穴が見える

「戦争遺跡は遊び場だった」

フィールドスクールの最終日、彼ら職員がそれぞれの地域に戻ってからどのような作業を続けていくかなど、今後の活動のためのミーティングを行った。私にはフィールドスクールを通じて彼らと信頼関係を築けた今、どうしても「日本人」として聞きたい、いや、聞かなければならない質問があった。

「日本の戦争遺跡の保護について皆はどう思っていますか？」

私は今回のフィールドスクールの講師をするにあたって、日本が占領していた頃のミクロネシアの歴史を初めて知った。恥ずかしい話だが、この依頼を受けるまでは、漠然と「トラック諸島」という名前を歴史教科書の中で見たことがあるという程度だった。

実際は第二次世界大戦前、日本人とチューク諸島地元民の関係は良好だったというが、戦況が激しさを増す中で、飢餓が起き、空襲によって建物や農地は徹底的に破壊された。記録ではアメリカ軍の攻撃による地元民の死者は１２３人とされているが、実際には１０００人以上の地元民が戦争中に亡くなったといわれる。これは当時の地元民の９人から10人に１人にあたる。

今回のフィールドスクールに参加した現地職員達が真剣に水中戦争遺跡の保護について学んでいるのを目の当たりにして、どうしてもその質問の答えを聞きたかったのだ。

地元チューク諸島のＨＰＯ職員で20代半ばの１人が答えてくれた。

「俺のお祖母さんは昔よく、戦争が始まる前に島にいた日本人達との良い思い出を聞かせてくれた。それに戦争遺跡は小さい頃から遊び場でもあったんだ。生まれた頃からそこに在ったんだよ。だからミクロネシアの多くの人々は、戦争遺跡を日本だけの文化遺産だとは考えていない。私達にとっても大事な、私達のお祖父さんやお祖母さんを思い出すことのできる、自分達の文化遺産だよ」

これに周りのミクロネシア人達も頷いていた。ありがたいことに彼らの祖父母は、戦争が始まる前の、日本人の入植時代のことを良い思い出として、彼らの子供や孫達に伝えてくれていたのだ。そして現在、ミクロネシアの人々は戦争遺跡を自分達の遺産として次の世代に残そうとしているのだ。

過去に遡れる！

フィールドスクールが無事に終わった次の日からジェフリー教授と私は経年変化測定の基礎となるデジタル3Dモデルデータを作るために、4日間チューク諸島に滞在した。私には次のアメリカでの仕事が迫っていたので、作業日数は3日間しかなかったが、それでもHPO職員の実践に使用したゼロ戦とガンボートの水中戦争遺跡に加え、「彩雲」と呼ばれる日本の艦上偵察機、大戦時は「空の戦艦」と呼ばれ活躍した日本の4基のエンジンを積んだ巨大航空機「二式飛行艇」、そして水深45mに沈んでいる「九七式軽装甲車（通称：テケ車）」の計5カ所の水中戦争遺跡の精密デジタル3Dモデルを作成することができた。特に二式飛行艇はフォトグラメトリの範囲が50m×40mと広く手がかかった。

フォトグラメトリを用いたモニタリングの素晴らしい点は「過去に遡ることが可能」である点だ。

一般的に「モニタリング」というと、どうしても開始日を起点とし、それ以降の記録を積み重ねることになる。つまり2019年にモニタリングを開始したら、2020年、2021年、という具合だ。

チューク諸島の水中戦争遺跡など人気ダイビングスポットでは観光ダイバーが水中動画を撮っている。つまりYouTube等の動画サイトや地元のダイビングセンターに10年前に撮られた水中遺跡の動画がたくさんある。それらを活用しない手はない。

しかし、確かに学術研究の為にフォトグラメトリを行う場合は、動画から作成したデジタル3Dモデルは精度が低く使えない。しかし動画というのは「1秒間に24〜60コマの静止画の連続」なので、フォトグラメトリにとって重要な「オーバーラップ」が確保されているのだ。

「基礎となる遺跡全体を捉えた精密デジタル3Dモデル」さえ1つだけ作ってしまい、そのモデルを基礎データにすれば、どこがいつ、どういう風に変化したのかは粗いモデルとでも比較できる。

こうしてモニタリングを、時を超えより長期的なものとすることが可能なのだ！

戦没者の眠る場所として

現在、チューク諸島に沈む遺跡に限らず、太平洋の水中戦争遺跡は、ほとんどが忘れ去られ、荒らされ、朽ちつつある。

私は、水中戦争遺跡は戦争に巻き込まれて亡くなった方々の「墓所」でもあると考える。もし「先祖のお墓が、存在を忘れられ、誰にも手入れされずに、雑草がぼうぼうに生え、他人に荒らされ、お墓自体も壊れそうになっている」状態になっていたら、どう思うだろうか。そこに眠る亡くなった方々に、本当に静かに眠ってもらうには、お墓を綺麗に保ち、そこに眠っている方を忘れず、供養の気持ちを向けることが大切であろう。

そして、将来、私達の子孫が改めて歴史とは何なのかを考えられるようにするために、私達がしっかりと次の世代に「歴史の証拠」である水中戦争遺跡を残すための努力をしなければいけない。

水中戦争遺跡の保護活動は、「遺跡を引き上げる」というものでは決してない。戦争自体や歴史解釈について議論するというものでもない。集中すべきことは、水中戦争遺跡を1日でも長く忘れず、残すためのものだ。

確かに、太平洋戦争時の船舶は私にとっても考古学研究の対象外だ。それでも1人の日本人として、これからも私の大切な活動の1つとして太平洋の水中戦争遺跡の保護を続けていくつもりだ。

おわりに

世界的なコロナ禍の中、私は現在、日本国内に留まり、本書を執筆している。
この1年間、本当に久しぶりに日本に長期滞在し、講演を行なったり、日本国内の研究者の方々と新たな研究を立ち上げたりと、これまでとは少し違った視点から水中考古学に関わることができるようになった。

その中で改めて感じたのは、「私は本当に水中考古学が大好きだ」ということだ。造船史研究に対する飽くことなき「好奇心」を自分の中に認識したのである。コロナ禍で海外からの仕事依頼が延期になり、そのおかげでできた時間で最新の学術論文を読み、改めて自分の無知と、「知ること」に対する欲求を再確認する毎日だ。この「好奇心」は私が研究者として一番大事にしている気持ちでもある。おそらくこの先も、船に対する好奇心は大きくなっていく一方だろう。

そして願わくば、水中考古学に対する「好奇心」を皆さんと共有し、一緒に楽しんでいきたい。この本を読んでいただき、この学問の楽しさに気づいてもらえたら、幸いである。

ただ、私の想いは、そこに留まるものではない。

「皆さんにも水中考古学者になってもらいたい！」

そして、

「水中考古学に実際に関わっていただきたい!!」

そう、切に願っている。

この本も、実は皆さんを水中考古学に勧誘するために書いたのだ。

本書を読んでくれたあなたと、この世界のどこかの海に眠る歴史のロマンを一緒に発見できる日が来るのを、楽しみに待っています。

２０２１年２月

装画　コルシカ
図版製作　アトリエ・プラン

写真・図版提供
University of Zadar　37頁、39頁、45頁、53頁、55頁、133頁
the Ministry of Culture and Sports of Greece & Vasilis Mentogiannis　117頁
Shipwreck Institute for Education and Local Development　191頁
ほか著者提供

本書のご感想をぜひお寄せください。

山船晃太郎（やまふね・こうたろう）

1984年3月生まれ。2006年法政大学文学部卒業。テキサスA&M大学大学院文化人類学科船舶考古学専攻（2012年修士号、2016年博士号）。船舶考古学博士。合同会社アパラティス代表社員。テキサスA&M大沈没船復元再構築研究室研究員。西洋船（古代・中世・近代）を主たる研究対象とする考古学と歴史学の他、水中文化遺産の3次元測量と沈没船の復元構築が専門。

沈没船博士、海の底で歴史の謎を追う

発　行　2021年7月15日
5　刷　2023年2月10日

著　者　山船晃太郎

発行者　佐藤隆信
発行所　株式会社新潮社
〒162-8711　東京都新宿区矢来町71
電話　編集部　03-3266-5611
　　　読者係　03-3266-5111
https://www.shinchosha.co.jp
装　幀　新潮社装幀室

印刷所　錦明印刷株式会社
製本所　株式会社大進堂

ISBN 978-4-10-354191-2 C0095